실력도 **탑!** 재미도 **탑!**

사고력 수학의 으뜸

KB157165

A2

T O P 사고력수학

이 책의 목차

TOP 사고력 수학의 특징

TOP사고력 수학 A/B 시리즈는 수학 경시 대회와 영재교육원을 대비하여 꼭 알아야 할 교과서 밖 수학 개념과 실전 문제로 학생을 최상위권으로 이끌어줄 교재입니다.

보통의 상위권 실전 문제집들이 주제별로 적은 수의 문제를 나열하는 구성이라면 TOP사고력 수학은 풍부한 개념과 여러 가지 문제해결의 원리를 캐릭터들과 함께 재미있게 살펴본 후, 유형별로 충분히 연습할 수 있도록 하였습니다. 더불어 "사고력 쑥쑥" 이라는 이름의 별도 구성을 두어 주제별 학습 이후에 다양한 문제를 해결하면서 주제별 다지기 학습을 할 수 있도록 했습니다.

수학적 "깜냥" 키우기

깜냥의 뜻 - 스스로 일을 헤아릴 수 있는 능력

TOP사고력 수학의 학습 목표는 처음 보는 문제를 만나더라도 문제가 요구하는 바를 정확하게 파악하고 스스로 해결할 수 있는 능력, 즉 수학적 깜냥을 키우는 것입니다. 그런 의미에서 이 책의 주인공은 깜냥에서 따온 깜이와 냥이라는 두 아이와 수학 선생님입니다. 다양한 실전 문제를 해결하기에 앞서서 개념과 원리를 깜이, 냥이와 선생님이 이야기하듯이 재미있게 알려 줍니다.

깜이   냥이   선생님

스토리텔링 수학!

스토리텔링의 본질은 이야기를 전달하는 것이 아니라 말하는 사람과 듣는 사람 간의 상호 작용을 통해서 듣는 사람이 스스로 생각하면서 이해할 수 있도록 하는 것입니다. TOP사고력 수학은 만화나 이야기를 매개체로 하여 내용을 전달하는 형식적인 스토리텔링이 아니라 아이에게 상황을 그림으로 보여주고 질문을 하고, 활동 자료로 직접 해 볼 수 있도록 하고, 게임을 하면서 연습할 수 있도록 하는 가장 효과적인 스토리텔링 수학입니다.

체계적 구성과 충분한 연습으로 사고력 쑥쑥!!

각 단원의 시작은 "생각열기"로 학생들이 공부할 주제에 대해 먼저 생각해 보도록 질문을 던지고, 다음 쪽에서 선생님의 설명이 이어집니다. 작은 주제별로도 상황에 맞는 개념과 원리를 충분히 알아본 후, "탐구 유형"에서 유형별로 문제를 다루어 보도록 하였습니다. 단원의 마지막인 "TOP 사고력" 에서는 실전 사고력 문제로 단원을 마무리하게 됩니다.

책의 뒷부분에는 각 단원의 복습 및 다지기를 할 수 있는 "사고력 쑥쑥"을 두어 충분한 연습으로 공부한 내용을 자기 것으로 만들 수 있도록 하였습니다.

예비 활동 가이드

TOP사고력 수학 A/B 시리즈는 실전에 강한 수학 공부를 목표로 하기 때문에 교구의 도움 없이 문제 해결을 하도록 하였습니다. 그 대신 주제에 따라 스스로 원리를 이해하고 문제를 해결하는데 도움이 되도록 예비 활동 가이드를 두어 필요에 따라 문제를 해결해 보기 전에 해 볼 수 있는 활동을 제시하였습니다.

저자 동영상 강의

정답지에서 글로 전달하기 힘든 교육 방법, 활용의 예, 개념의 확장 등의 동영상을 제공합니다. 동영상은 PC에서 볼 수도 있고, QR코드를 이용하여 모바일로 이용할 수도 있습니다.

TOP 사고력 수학 시리즈

- 영역별 나선형식 반복 학습 구조
- 나이, 학년 단계별 수학의 각 영역 비중 차등
- 경시, 영재교육원 등의 최신 문제 경향 반영

유아 단계와 초등 단계의 학습 목표

- K/P시리즈 - 초등 입학 전 알아야 할 필수적인 수학 개념을 익히면서 수감각, 공간지각력, 논리력, 문제 이해력 등 수학적 직관력을 키우기
- A/B시리즈 - 초등 저학년을 대상으로 수학 경시, 영재교육원의 대비와 최상위권으로 이끌기

시리즈별 학습 단계

- K시리즈 - 수학의 시작 단계(6~7세)
- P시리즈 - 초등 입학 준비 단계(7~8세)
- A시리즈 - 초등 1학년 과정을 마친 학생을 대상으로 한 심화 사고력(초1~초2)
- B시리즈 - 초등 2학년 과정을 마친 학생을 대상으로 한 심화 사고력(초2~초3)

TOP 사고력 수학의 구성

생각열기

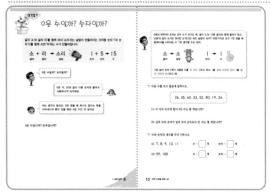

각 단원의 첫 페이지는 공부할 주제에 대한 발문의 역할을 하는 "생각열기"입니다.

재미있게 공부할 주제에 대한 호기심을 유발하고, 간단한 질문에 답하도록 합니다. 꼭 정답을 맞추기보다는 스스로 생각해 보는 것에 초점을 맞추도록 합니다.

스스로 먼저 생각하는데 방해가 되지 않도록 질문에 대한 설명은 종이를 1장 넘기면 다음 쪽에 있습니다.

원리 탐구

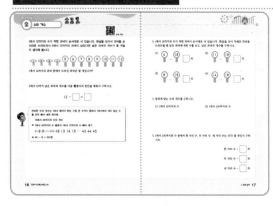

작은 주제별로 개념과 문제해결의 원리를 알아보고, 확인 문제를 해결해 봅니다.

탐구 유형

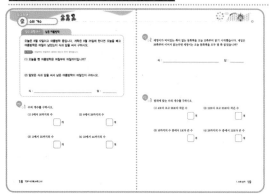

주제별로 여러 가지 유형별 문제를 공부합니다. 문제해결의 원리를 발견할 수 있도록 단계적으로 질문에 따라 문제를 해결해 보고, 연습 문제를 공부합니다.

TOP 사고력

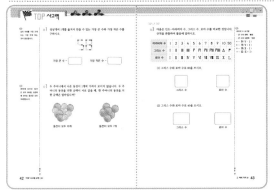

주제별 최고 난이도의 심화 문제를 공부합니다.

사고력 쑥쑥

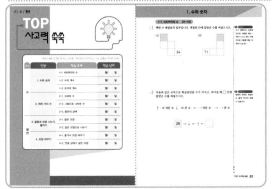

81쪽에서 112쪽까지 32쪽에 걸쳐서 앞에서 공부한 부분을 스스로 복습하고 다지기 하도록 합니다. 80쪽에는 작은 주제의 복습을 시작하는 날짜를 적어서 한 권을 마치는 동안 공부한 시간을 한 눈에 볼 수 있도록 했습니다.

예비 활동 가이드와 활동 자료

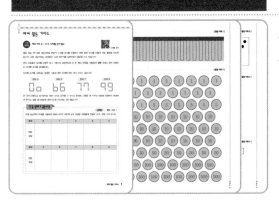

본문을 공부하기 전에 예비 활동을 소개하고 활동에 필요한 활동 자료가 들어 있습니다.

A 시리즈의 학습 내용

A1

수	1. 수와 숫자
	2. 여러 가지 수
평면	3. 닮음과 모양 나누기, 붙이기
	4. 모양 바꾸기

A2

측정	1. 비교하기
	2. 저울산과 넓이
연산	3. 연산 퍼즐
	4. 수와 식 만들기

A3

수	1. 수의 크기
	2. 조건에 맞는 수
평면	3. 모양 겹치기
	4. 모양의 개수

A4

연산	1. 지워진 연산 퍼즐
	2. 모양이 나타내는 수
입체	3. 쌓기나무의 관찰
	4. 입체 모양과 주사위

A5

규칙	1. 여러 가지 규칙
	2. 약속과 규칙
논리	3. 논리적 추론
	4. 논리 판단 퍼즐

A6

확률과 통계	1. 기준과 분류
	2. 다양한 방법의 수
문제 해결	3. 조건에 맞게 직접 해 보기
	4. 문제를 해결하는 방법

동영상 강의를 활용해요.

단원의 목차에는 　동영상　이라는 표시가, 각 페이지의 윗부분에는 ▦ 모양이 있으면 동영상 강의가 있다는 뜻입니다.
동영상 강의에서는 문제를 해결하는 원리를 좀 더 쉽게 설명해 줍니다. 어려운 부분은 동영상 강의를 이용할 수 있습니다.

예비 활동을 활용해요.

단원의 목차에는 　예비활동　이라는 표시가, 각 페이지의 윗부분에는 　예비활동가이드 1쪽　표시가 있으면 문제를 풀기 전에 해 보면 좋은 활동이 있다는 뜻입니다.
예비 활동 가이드와 활동 자료를 이용하여 활동이나 게임을 먼저 해 보고 나서 책의 문제를 풀어보면 좀 더 재미있고, 쉽게 문제를 해결할 수 있습니다.

접는 선을 따라 종이를 접고 문제를 풀어요.

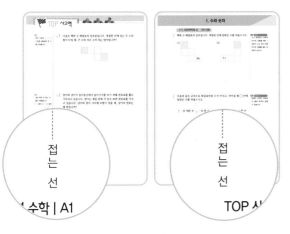

"TOP 사고력"과 "사고력 쑥쑥"에는 접는 선이 표시되어 있습니다. 접는 선 표시에 따라 종이를 접고 문제를 풀고, 어려운 경우 종이를 펼쳐서 도움글을 보고 해결해 봅니다.

TOP 사고력 수학

1. 비교하기

무게의 순서

복숭아, 감, 포도의 무게를 양팔저울로 비교했습니다.

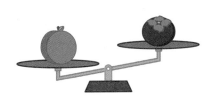
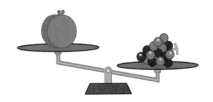

무게를 비교한 결과에 알맞게 ○ 안에 〉, 〈를 써넣으시오.

양팔저울 두 개를 보고 세 과일의 무게 순서를 알 수 있을까요? 무거운 순서대로 빈 칸에 알맞은 과일의 이름을 써넣으시오.

 왼쪽 저울에서 감보다 복숭아가 더 무거우니까 복숭아가 제일 무거운 거 아니야?

그런데 포도는 아직 비교 안 했잖아. 오른쪽 저울을 보면 포도가 복숭아보다 더 무거워.

☐ 〉 ☐ 〉 ☐

이번에는 사과, 배, 바나나의 무게를 양팔저울로 비교했습니다. 가장 무거운 과일과 가장 가벼운 과일은 무엇입니까?

양팔저울을 보면 배는 다른 두 과일보다 무겁기 때문에 가장 무거운 과일인 것을 알 수 있어.

하지만, 남은 사과와 바나나는 무게 순서를 알 수 없기 때문에 양팔저울로 한 번 더 비교해 봐야 해.

사과와 바나나를 비교해 본 결과를 보고 배, 사과, 바나나의 무게 순서를 빈칸에 써넣어 봐.

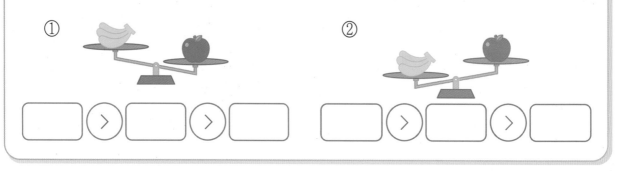

① ⬚ > ⬚ > ⬚   ② ⬚ > ⬚ > ⬚

🌱 세 공의 무게 순서를 알기 위해서 양팔저울로 더 비교해 보아야 할 공 2개를 고르시오.

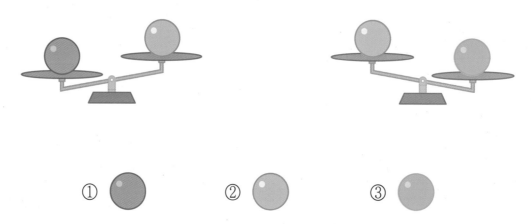

① ⬤   ② ⬤   ③ ⬤

탐구 유형 1-1　　**길이의 비교**

같은 회사에서 만든 볼펜 3자루가 있습니다. 세 볼펜은 들어있는 잉크의 양은 같지만 잉크가 나오는 부분이 달라서 글씨를 쓸 때 선의 굵기에 차이가 있습니다.

가장 오래 사용할 수 있는 볼펜의 번호를 쓰시오.

● Point　볼펜으로 쓴 선이 굵을수록 나오게 되는 잉크의 양이 어떻게 될지 생각해 봅니다.

연습
01 그림과 같이 막대를 2개씩 같은 끈을 이용하여 10번씩 감아서 묶을 때, 끈이 많이 필요한 순서대로 번호를 쓰시오.

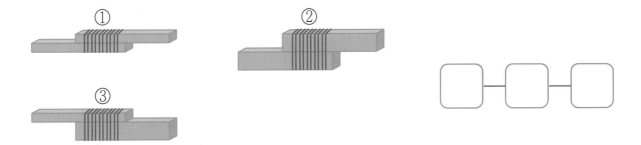

연습
02 사과 껍질이 더 길게 되도록 사과를 깎는 방법에 ○표 하시오.

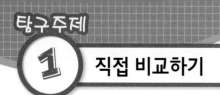

탐구주제 1 직접 비교하기

연습 03 굵기가 같은 세 종류의 막대 과자가 있습니다. 초콜릿이 가장 많은 과자의 기호를 쓰시오.

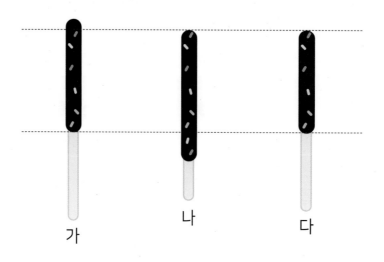

가   나   다

연습 04 세 동물이 철봉에 오래 매달리기를 하고 있습니다. 가장 키가 큰 동물에 ○표 하시오.

탐구 유형 1-2   들이의 비교

모양이 다른 3개의 그릇이 있습니다. 가운데 그릇에 물을 가득 채워 아래와 같이 각각 두 병에 물을 부었을 때 일어나는 일을 쓰시오.

• Point 물을 많이 담을 수 있는 그릇의 순서를 먼저 생각해 봅니다.

01 그릇에 담겨진 물의 높이가 모두 같습니다. 물이 많이 담겨 있는 그릇의 순서대로 번호를 쓰시오.

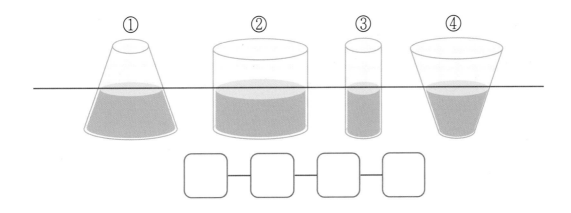

① ② ③ ④

그림과 같은 길이 있습니다. 길의 가로, 세로로 1칸의 길이가 1로 모두 같다고 하면 선을 따라 학교에서 놀이터를 간 거리는 13입니다.

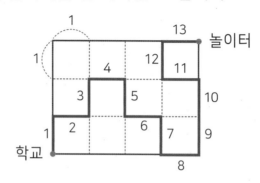

깜이와 냥이가 학교에서 동시에 출발하여 그림과 같은 길로 놀이터를 갈 때 두 사람이 이동한 길의 거리를 구하시오.

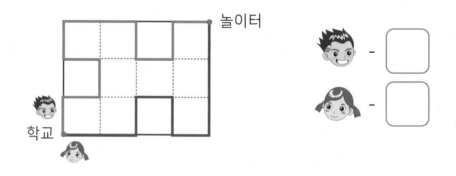

학교에서 출발하여 놀이터를 가는 가장 짧은 길을 그리고, 거리를 구하시오.

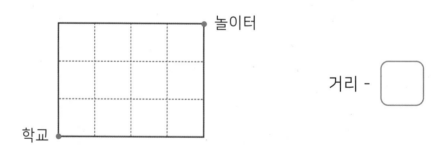

거리 -

길이가 같은 작은 선 여러 개의 길이는 작은 선의 개수를 세어서 길이를 비교해.

💡 깜이와 친구들이 운동장에 선을 그려 놓고 술래잡기를 하고 있습니다. 술래잡기를 할 때는 반드시 선을 따라서 가장 짧게 이동해야 합니다. 술래인 깜이가 잡으러 가려면 가장 많이 이동해야 하는 친구에 ◯표 하시오.

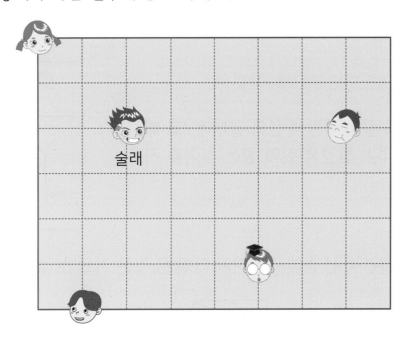

💡 다음은 똑같은 세모 모양과 네모 모양을 붙여서 만든 모양입니다. 모양을 둘러싼 굵은 선의 길이가 다른 모양 하나를 찾아 △표 하시오.

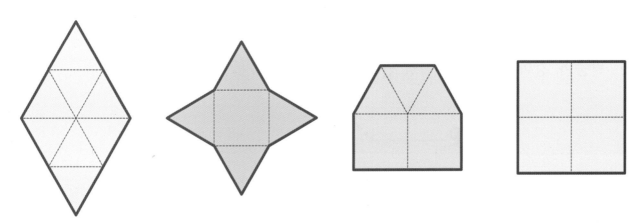

2 간접 비교하기

두단위
길이의비교

탐구 유형 2-1 　　단위 길이의 비교

가로, 세로 1칸의 길이가 같은 오른쪽 그림에서 깜이
와 냥이 중에서 움직인 거리가 더 짧은 사람을 구하
시오.

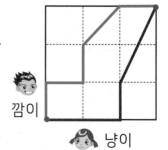

깜이
냥이

▶ Point ▷ 길이가 같은 선을 지우고 남은 선을 비교합니다.

(1) 오른쪽 그림과 같이 파란색 선의 일부에 /표 해서
　 선을 지웠습니다. 빨간색 선에 같은 길이를 지우
　 시오.

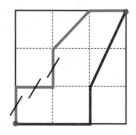

(2) 파란색 선과 빨간색 선 중에서 길이가 더 짧은 것은 어느 것입니까?

(3) 깜이와 냥이 중에서 움직인 거리가 더 짧은 사람은 누구입니까?

연습

01 원숭이, 강아지, 여우 중 가장 먼 길을 가야 하는 동물을 고르시오.

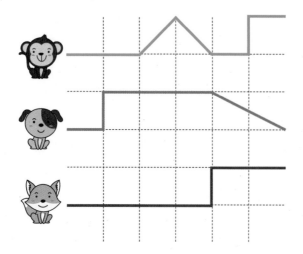

02 개구리들이 땅 속에서 겨울잠을 자고 있습니다. 땅 위로 나가는 길이 가장 먼 개구
리를 고르시오.

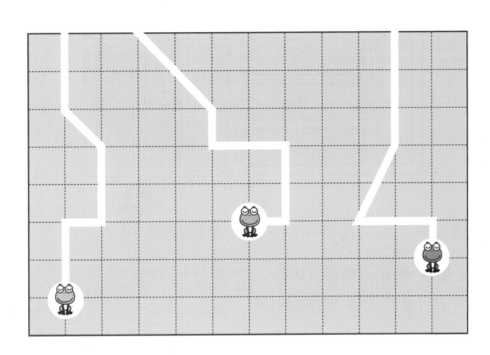

03 길이가 가장 짧은 선을 고르시오.

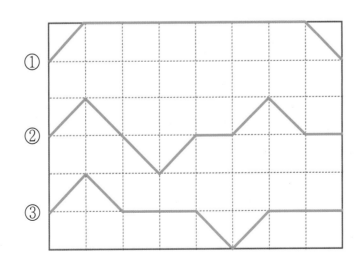

2 간접 비교하기

 두 단위
길이의 관계

탐구 유형 2-2 두 가지 단위 길이

깜이와 냥이가 사는 아파트는 모든 건물의 크기와 모양이 같습니다. 두 사람은 아래 그림과 같이 이동하여 만났습니다. 만나는 곳까지 이동한 거리가 더 긴 사람에 ○표 하시오.

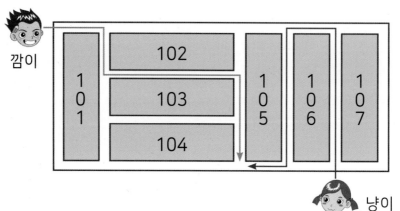

• Point ▶ 두 사람의 이동거리가 아파트의 짧은 쪽을 몇 개 지나는 것과 같은지 찾습니다.

(1) 아파트의 짧은 쪽의 길이를 1이라고 했을 때 긴 쪽을 지나는 길의 길이를 빈칸에 써 넣으시오.

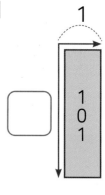

(3) 이동한 거리가 더 긴 사람의 이름을 쓰시오.

연습

01 오른쪽 그림의 학용품 중에서 길이가 가장 긴 것에 ○표 하시오.

연습 02 두 가지 색깔의 도미노를 서로 다른 방법으로 붙였습니다. ㉠과 ㉡ 중에서 길이가 더 긴 것을 고르시오.

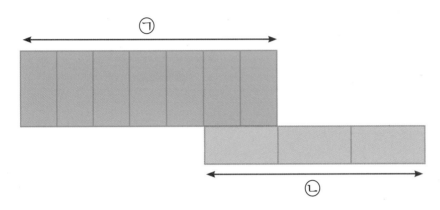

연습 03 나비와 꿀벌 중에서 이동 거리가 더 긴 곤충을 고르시오.

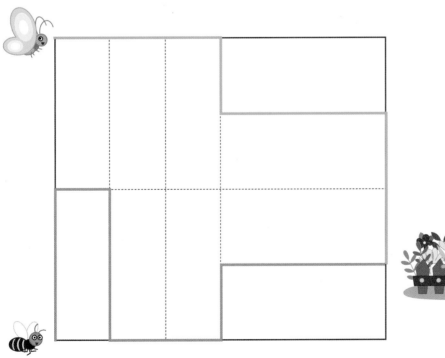

양팔 저울의
무게순서

탐구 유형 2-3   **무게의 순서**

무거운 순서대로 공의 번호를 쓰시오.

• Point   2개의 공과 1개의 공의 무게가 같으면 1개의 공이 가장 무겁습니다.

(1) 왼쪽 양팔저울을 보고 빈칸에 알맞은 공의 번호를 써넣으시오.

세 공 중에서 가장 무거운 공은 ☐ 번 공입니다.

(2) 오른쪽 양팔저울을 보고 빈칸에 알맞은 공의 번호를 써넣으시오.

2번과 3번 공 중에서 더 무거운 공은 ☐ 번 공입니다.

(3) 무거운 순서대로 공의 번호를 쓰시오.

☐ > ☐ > ☐

연습

01   사탕, 초콜릿, 빵의 무게를 비교했습니다. 무거운 순서대로 이름을 쓰시오.

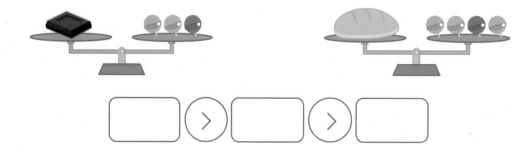

☐ > ☐ > ☐

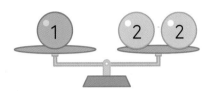

02 3개의 공 중에서 가장 무거운 공은 몇 번인지 구하시오.

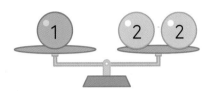 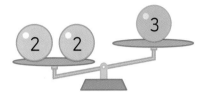

03 무거운 순서대로 사탕의 색깔을 쓰시오.

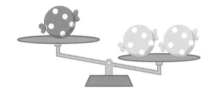 

2 간접 비교하기

탐구 유형 2-4   들이의 비교

3개의 그릇에 든 물의 양이 같습니다.

ⓒ 그릇에서 구슬을 모두 빼내었을 때 남는 물을 그림으로 나타내시오.

• Point ▷ 세 그릇을 비교해서 파란색 구슬과 빨간색 구슬을 넣었을 때 물의 높이가 얼마나 올라가는지 찾습니다.

(1) ㉠ 그릇과 ㉢ 그릇을 비교하면 빨간 구슬을 넣었을 때 물의 높이는 몇 칸이 올라 갑니까?

(2) ㉡ 그릇과 ㉢ 그릇을 비교하면 파란 구슬을 넣었을 때 물의 높이는 몇 칸이 올라 갑니까?

(3) 구슬을 모두 빼내었을 때 남는 물을 그리시오.

연습
01 물이 가장 적게 들어 있는 컵에 △표 하시오.

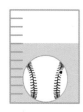  

02 물을 담은 그릇에 지우개를 넣었습니다. 같은 지우개를 몇 개 더 넣을때 물이 넘치
는지 구하시오.

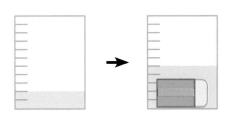

03 물을 담은 두 그릇에 색깔이 다른 구슬을 1개씩 넣고 관찰해 보았습니다. 다음 중
물이 가장 적게 담긴 그릇을 고르시오.

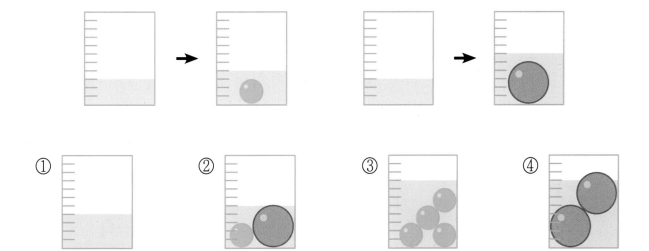

TOP 사고력

빨간색 선 2개의 길이의
합은 네모 모양의 한쪽
선의 길이와 같습니다.

01 모양을 둘러싼 굵은 선의 길이가 오른쪽
그림과 같은 것을 고르시오.

① 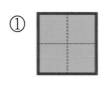　② 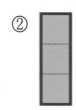　③ 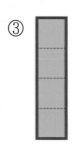　④

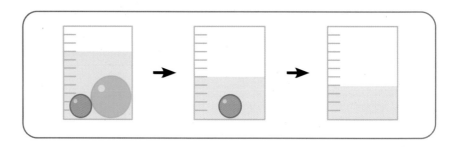
각각 하나씩 넣었을 때,
눈금이 몇 칸 늘어나는지
세어 봅니다.

02 다음과 같이 쇠구슬을 하나씩 **빼면** 물 높이가 달라집니다.

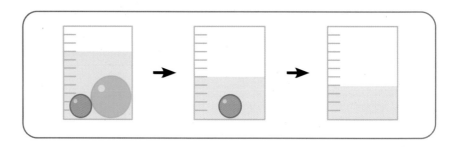

가, 나, 다 중 물이 제일 적게 들어 있는 그릇을 고르시오.

가　　　　나　　　　다

접는 선

03 가로, 세로 1칸의 길이가 모두 1인 길이 있습니다. 한 번 지난 점은 다시 지나지 않을 때 학교에서 출발하여 놀이터에 도착하는 가장 긴 길을 그리고, 거리를 구하시오.

최대한 많은 점을 지나면 서 놀이터에 도착하는 경 우를 생각해 봅니다.

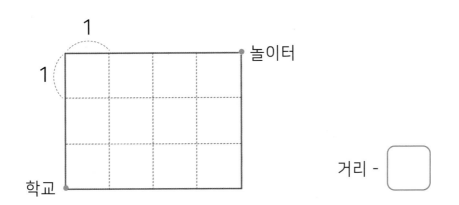

거리 - ☐

TOP of TOP

04 저울을 보고 무게가 가벼운 순서대로 ☐ 안에 알맞은 번호를 써넣 으시오.

각각의 저울에서 어떤 번 호가 더 무거운지 알아봅 니다.

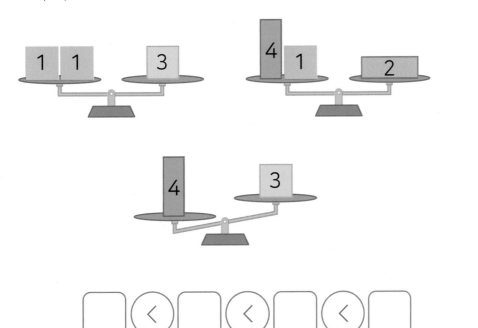

☐ < ☐ < ☐ < ☐

TOP 사고력 수학

2. 저울산과 넓이

생각열기　동영상　저울산

탐구주제

1. 저울산

1-1. 바꾸어 생각하기 / 바꾸어 무게 구하기

1-2. 묶어서 생각하기 / 묶어서 무게 구하기

예비활동　동영상

2. 단위넓이

2-1. 모눈 위의 넓이 / 세어서 넓이 비교하기

2-2. 칠교 조각의 넓이 / 조각과 전체의 넓이

2-3. 세모 모양의 넓이 / 잘라서 넓이 구하기

TOP 사고력

저울산

 저울산

저울산

양팔저울에 물건을 올려서 평형을 맞췄습니다. 이때 ● 1개는 ▲ 몇 개의 무게와 같은지 알아보려고 합니다.

양팔저울의 두 접시에 같은 물건을 1개씩 더 올리면 양팔저울이 어느 쪽으로 기울어질까요?

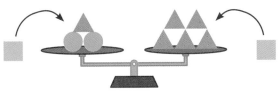

 같은 물건을 올렸으니까 어느 쪽으로도 기울어지지 않아. 평형이 유지돼.

그럼 처음 양팔저울의 평형을 유지하면서 저울에서 내릴 수 있는 물건이 있을까요?

같은 물건을 올렸을 때 평형이 유지되는 것처럼 같은 물건을 내려도 평형이 유지되겠지. 두 접시에서 ▲ 1개씩을 내릴 수 있어.

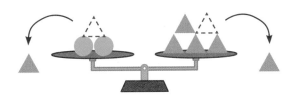

● 1개는 ▲ 몇 개의 무게와 같습니까?

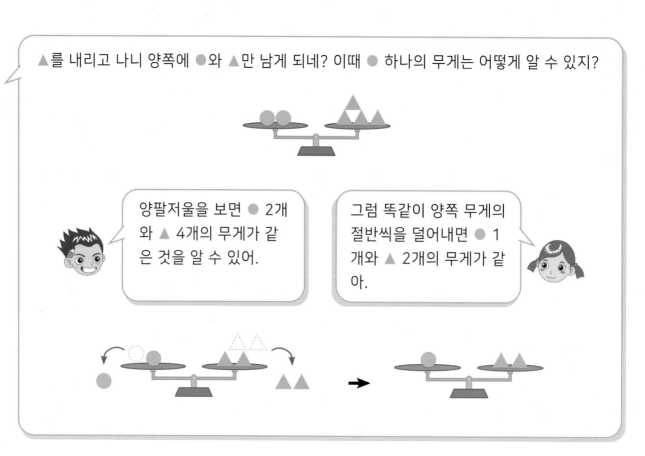

양팔저울을 보면 ● 2개와 ▲ 4개의 무게가 같은 것을 알 수 있어.

그럼 똑같이 양쪽 무게의 절반씩을 덜어내면 ● 1개와 ▲ 2개의 무게가 같아.

🏆 같은 방법으로 생각해서 오른쪽 양팔저울이 평형을 이루도록 빈 접시에 ●를 그려 보시오.

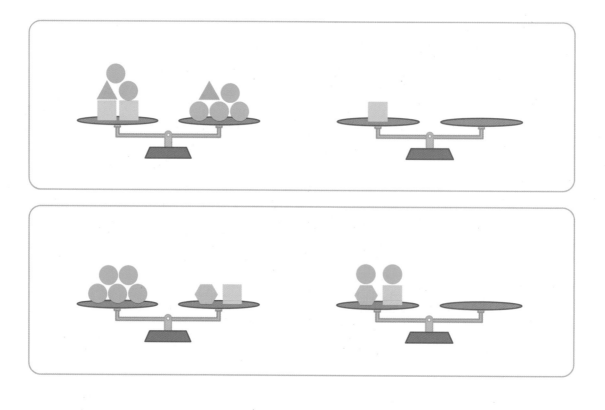

탐구 유형 1-1 　　**바꾸어 생각하기**

양팔저울로 학용품의 무게를 비교했습니다. ▬, ▭ 은 각각 ⬭ 몇 개의 무게와 같은지 구하시오.

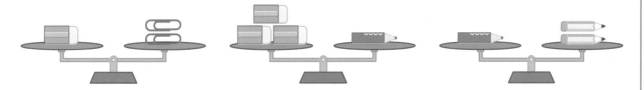

• Point　지우개를 클립으로 바꾼 후, 같은 물건을 다른 양팔저울에서 찾아 클립으로 바꾸어 봅니다.

(1) 두 번째 저울에서 ▭ 를 ⬭ 으로 바꾸면. ▬ 1자루는 ⬭ 몇 개와 무게가 같습니까?

(2) 세 번째 저울에서 ▬ 을 ⬭ 으로 바꾸어 보시오. ▭ 1 자루는 ⬭ 몇 개와 무게가 같습니까?

연습

01 다음 그림에서 기린의 무게는 토끼 몇 마리의 무게와 같은지 구하시오.

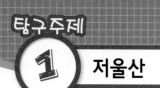

탐구주제

1 저울산

연습
02 다음 그림에서 ■는 ● 몇 개와 무게가 같습니까?

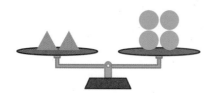 

연습
03 그림을 보고 빈칸에 알맞은 수를 써넣으시오.

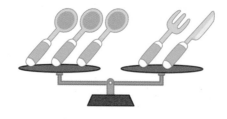

🥄 은 🔪 ☐ 개와 무게가 같고, 🔪 는 🔪 ☐ 개와 무게가 같습니다.

★은 ■ 몇 개와 무게가 같은지 구하시오.

• Point ● 2개를 하나의 묶음으로 생각하고 다른 물건과 비교합니다.

(1) 다음 양팔저울이 평형을 유지하도록 빈 접시 위에 ■를 그리시오.

(2) 다음 양팔저울이 평형을 유지하도록 빈 접시 위에 ■를 그리시오.

01 오른쪽 양팔저울이 평형을 이루도록 하려면 빈 접시에 귤을 몇 개 올려야 합니까?

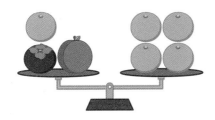
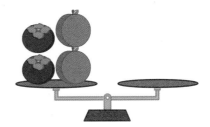

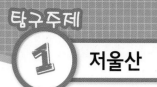

연습
02 그림을 보고 빈 곳에 놓아야 하는 주전자의 개수를 구하시오.

연습
03 양팔저울이 평형을 이루도록 하기 위해서 빈 접시에 올려야 할 과일의 개수를 □ 안에 써넣으시오.

(1)

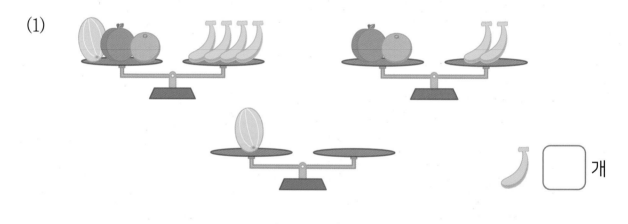

개

(2)

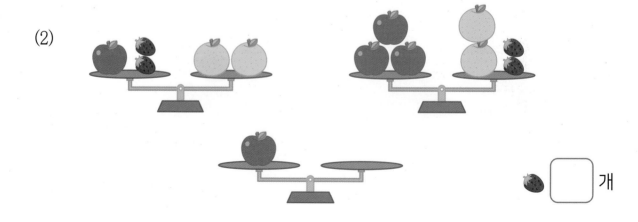

개

예비활동 가이드 1쪽

단위넓이

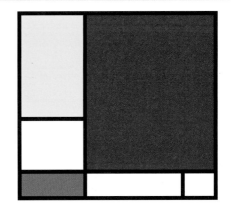

오른쪽 그림은 빨간색, 노란색, 파란색, 흰색 등을 사용한 네모 모양의 그림으로 유명한 미술가 몬드리안의 작품입니다.

이 작품에서 빨간색, 노란색, 파란색, 흰색의 넓이 순서를 알아봅시다.

빨간색과 파란색은 눈으로도 가장 넓고, 좁다는 것을 알 수 있는데 흰색과 노란색 중 어느 것이 더 넓은지 알 수 없어.

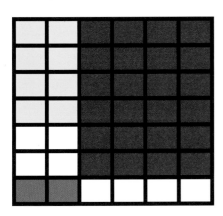

그래서 그림 위에 같은 간격으로 선을 그렸어.

작은 네모를 세어서 넓이를 비교할 수 있겠다. 노란색 8칸, 흰색 8칸으로 넓이가 같네.

넓이는 크기와 모양이 같은 모양을 세어서 비교할 수 있어.

💡 가장 넓은 색깔은 무엇입니까?

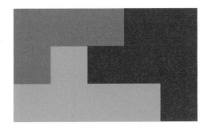

색칠된 두 모양의 넓이를 비교해 봅시다.

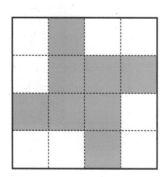 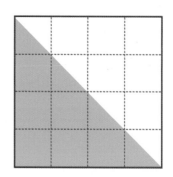

왼쪽 모양의 칸을 세어 보면 8칸이야. 오른쪽 모양은 세모라서 칸을 셀 수가 없는데…

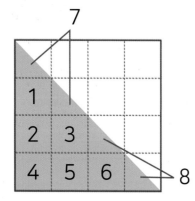

작은 네모를 반으로 자른 세모 모양 2개는 네모 1개와 같으니까. 모두 네모 8칸과 같아. 두 모양의 넓이가 같네.

네모 모양을 자른 세모 모양을 이용해서 세모 모양의 넓이도 비교할 수 있어.

💡 작은 네모 한 칸의 넓이를 1이라고 할 때 색칠된 모양의 넓이를 구하시오.

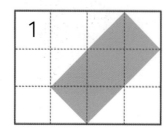

탐구 유형 2-1   모눈 위의 넓이

모눈 1칸의 넓이를 1이라고 할 때, 각 모양의 넓이를 □ 안에 써넣으시오.

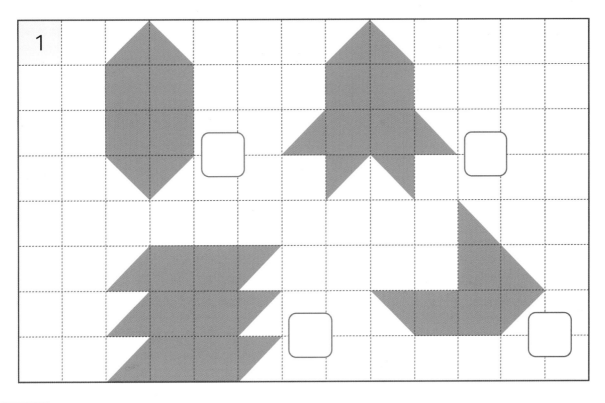

• **Point** ▶ 작은 세모 모양을 둘씩 짝지으면 작은 네모 모양과 넓이가 같습니다.

연습

01 남은 피자의 양이 다른 것을 고르시오.

①   ②    ③ 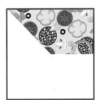   ④

연습
02 넓이가 같은 것끼리 선으로 이으시오.

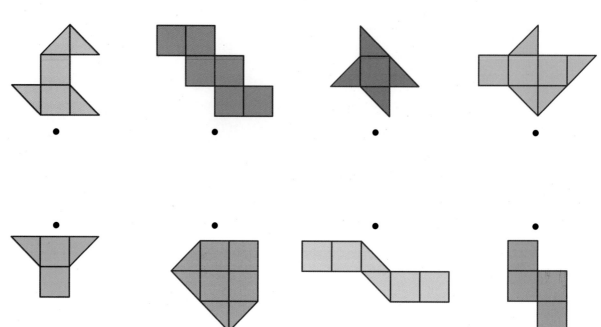

연습
03 작은 세모 모양 1칸의 넓이를 1이라고 할 때, 각 모양의 넓이를 □ 안에 써넣으시오.

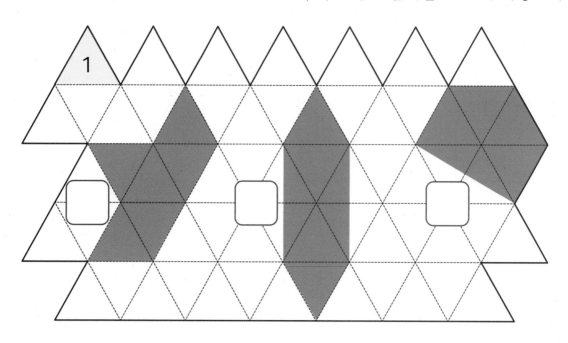

칠교 퍼즐에 같은 간격으로 선을 그려 모눈 모양으로 나누었습니다. 가장 작은 세모 모양의 넓이를 1이라고 할 때, 다른 조각의 넓이를 각각 구하시오.

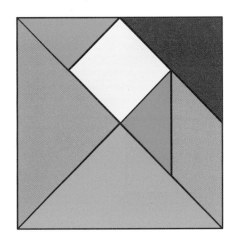 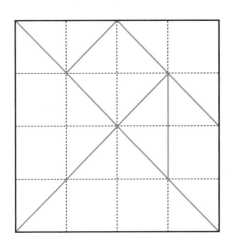

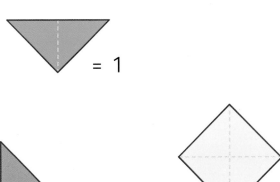 = 1

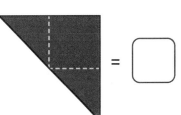 = ☐

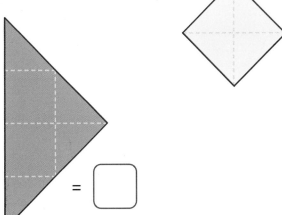 = ☐

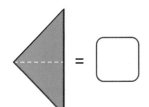 = ☐

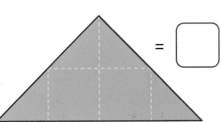 = ☐

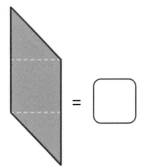 = ☐

• Point ▶ 가장 작은 세모의 넓이는 모눈 한 칸의 넓이와 같습니다.

연습
01 가장 작은 칠교 조각의 넓이를 1이라고 했을 때, 칠교 조각을 붙여서 만든 모양의 넓이를 구하시오.

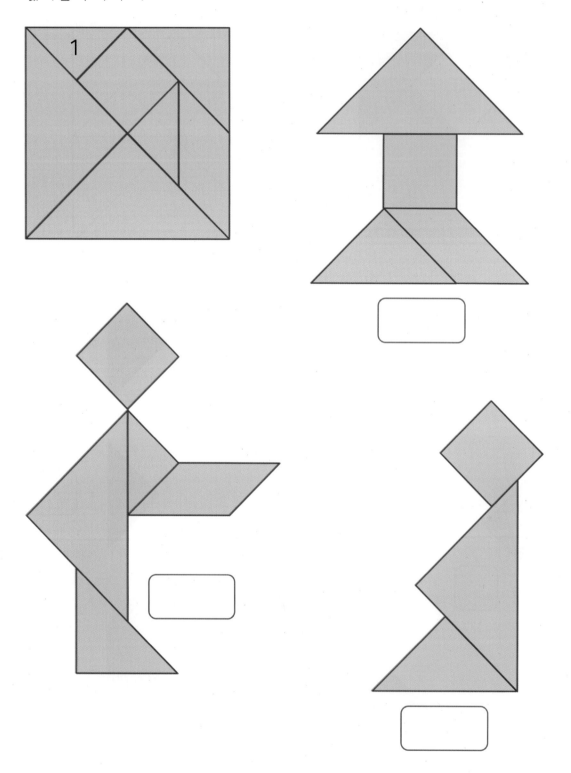

탐구 유형 2-3   세모 모양의 넓이

모눈 한 칸의 넓이를 1이라고 할 때, 두 모양의 넓이를 구하시오.

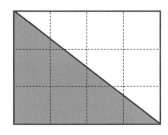
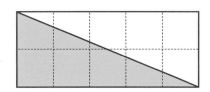

• Point ▷ 세모 2개를 붙여서 만들 수 있는 큰 네모의 넓이를 이용합니다.

(1) 똑같은 세모 2개를 붙여서 만든 네모의 넓이를 구하고, 네모의 넓이를 이용해서 세모의 넓이를 구하시오.

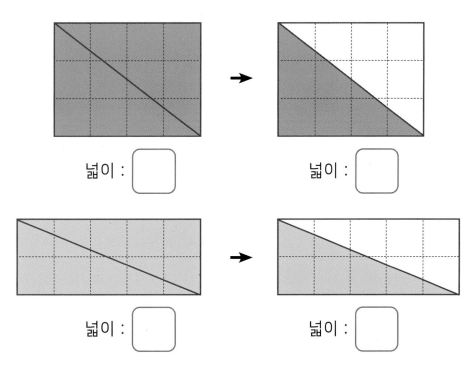

01 모눈 한 칸의 넓이를 1이라고 할 때, 세모 모양의 넓이를 구하시오.

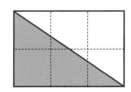

2 단위넓이

02 다음 모양의 넓이를 구하려고 합니다. 모눈 한 칸의 넓이를 1이라고 할 때, 모양을 자른 ①, ②, ③ 조각의 넓이와 전체 모양의 넓이를 각각 구하시오.

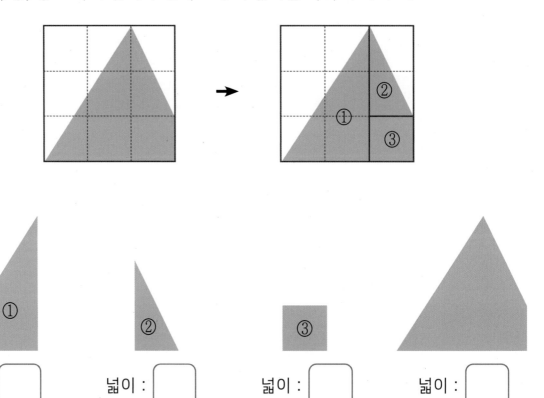

넓이 : | 넓이 : | 넓이 : | 넓이 :

03 모눈 한 칸의 넓이를 1이라고 할 때, 모양의 넓이를 구하여 □ 안에 써넣으시오.

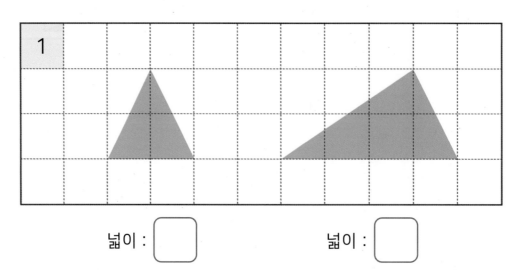

넓이 :   넓이 :

04 넓이가 다른 하나를 고르시오.

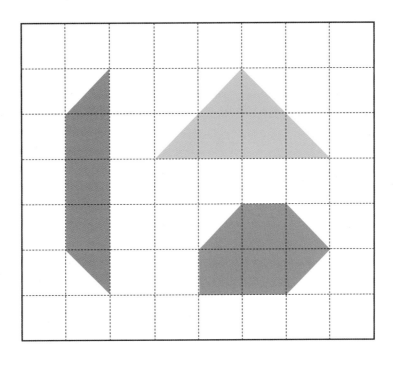

05 넓이가 넓은 순서대로 기호를 쓰시오.

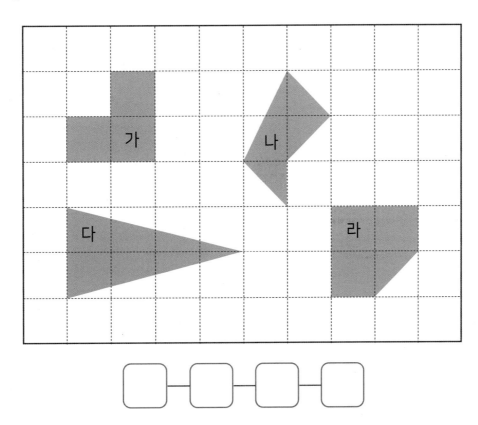

공책이 연필 몇 자루의 무게와 같은지 구해 봅니다.

01 두 저울을 보고 저울이 평형을 이루기 위해서 빈 곳에 올려야 하는 연필은 몇 자루인지 구하시오.

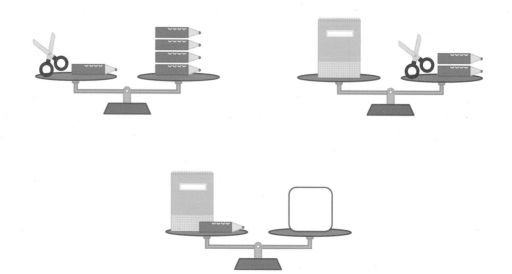

단위넓이를 정해서 동물마다 단위넓이의 개수를 비교해 봅니다.

02 토끼, 다람쥐, 강아지가 사는 땅을 나타낸 것입니다. 땅이 가장 넓은 동물에 ○표 하시오.

03 주어진 두 개의 넓이를 이용해 모양의 넓이를 비교하여 넓은 순서대로 기호를 쓰시오.

주어진 모양이 몇 개 사용되었는지 모양 안에 선을 그어 확인해 봅니다.

㉠

㉡

㉢

TOP of TOP

04 세 저울을 보고 ★ 1개의 무게는 ▲ 몇 개의 무게와 같은지 구하시오.

같은 것을 ▲로 바꿔가면서 생각해 봅니다.

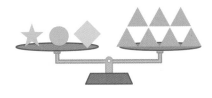

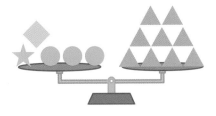

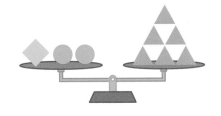

TOP

사고력 수학

3. 연산 퍼즐

수 피라미드

수 피라미드

아래층의 이웃한 두 수의 합이 위 층 가운데에 쓰인 피라미드 모양이 있습니다.

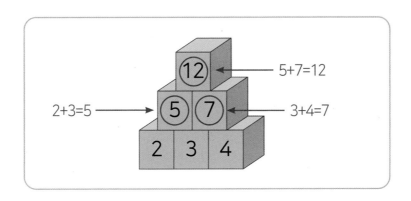

깜이와 냥이는 수 피라미드의 1층에 1, 2, 3 중에서 하나씩 골라 넣었는데 각각 다른 결과가 나왔습니다.

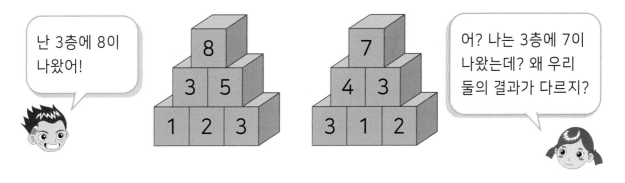

1층에 1, 2, 3 중에서 하나씩 골라 넣어 3층에 깜이와 냥이보다 더 큰 수가 나오도록 수 피라미드를 완성하시오.

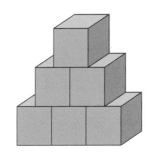

깜이와 냥이가 만든 수 피라미드의 수를 합으로 나타내 보면 다음과 같아. 이때, 1층의 가운데 있는 수는 항상 오른쪽과 왼쪽에 두 번 더해지게 되지.

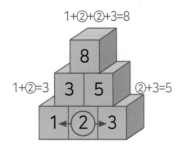

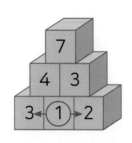

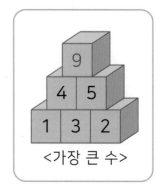

\<가장 큰 수\>

1층의 가운데에 가장 큰 수가 들어가야 3층의 수가 가장 커지게 되는 거야.

🌱 1층에 3, 4, 5를 하나씩 넣어 3층의 수를 가장 작게 만들려고 합니다. 가장 작은 수를 구하시오.

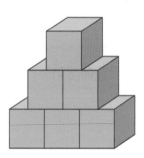

🌱 1층에 1, 2, 3, 4를 하나씩 넣어 4층에 가장 큰 수와 가장 작은 수가 나오도록 수 피라미드를 완성하시오.

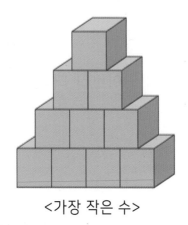

\<가장 작은 수\>

\<가장 큰 수\>

금액이 큰 쪽에서 작은 쪽으로 동전 하나를 옮겨 양쪽의 금액이 같아지도록 하려면 어떤 동전을 옮겨야 하는지 찾아보려고 합니다.

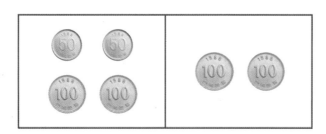

금액의 합이 많은 쪽에서 얼마짜리의 동전을 옮겨야 양쪽의 금액이 같아지는지 옮겨보면서 확인해 보시오.

> 양쪽 금액의 차이는 100원이지만 차이의 절반인 50원만 옮기면 양쪽의 금액이 250원으로 같아지네요.

> 50원을 옮기면 왼쪽 칸은 300원에서 50원이 줄어들고, 오른쪽 칸은 200원에서 50원이 늘어나서 양쪽의 금액이 250원으로 같아지는 거야.

💡 동전 금액의 합이 같아지도록 동전 한 개를 옮겨야 합니다. 이때, 옮겨야 하는 동전에 ○표 하시오.

(1)

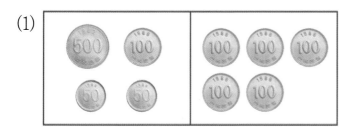

(2)

탐구 유형 1-1 　동전 매트릭스

표 안의 동전의 금액을 더하면 600원이고, 가로, 세로로 놓인 동전 3개를 더하면 모두 금액이 같습니다. ○ 안에 동전의 금액을 써넣으시오.

• Point ▷ 한 줄에 놓인 동전의 금액의 합을 먼저 구합니다.

(1) 표에서 가로줄은 3개입니다. 가로 한 줄이 얼마가 되도록 해야 전체 금액이 600원이 됩니까?

(2) 한 줄의 금액에 맞게 ○ 안에 동전의 금액을 써넣으시오.

연습

01 화살표 옆의 금액은 가로와 세로에 놓인 금액의 합을 써놓은 것입니다. ○ 안에 동전의 금액을 써넣으시오.

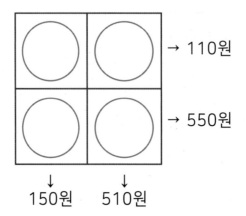

02 동전 2개를 옮겨서 모든 칸의 동전 금액의 합이 같도록 만들려고 합니다. 옮겨야 하는 동전 2개에 ○표 하시오.

50 50	100 100 10	50 50 10 10	10	10 100

03 50원, 100원, 500원 동전만 사용하여 아래 판에 놓았더니 가로와 세로의 금액의 합이 다음과 같습니다. 빈칸에 알맞은 금액을 써넣으시오.

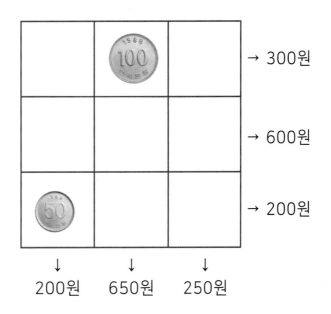

→ 300원

→ 600원

→ 200원

↓ 200원　　↓ 650원　　↓ 250원

탐구 유형 1-2 　 동전 옮기기 퍼즐

동전 1개를 옮겨서 화살표 위에 놓인 동전의 금액의 합이 서로 같도록 만드시오.

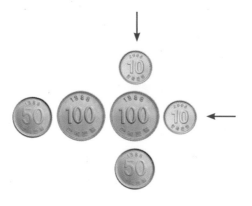

• Point ▶ 얼마를 어디로 옮겨야 할지 생각해 봅니다.

(1) 화살표 방향에 놓인 동전의 금액의 합을 구하시오.

↓ 방향에 놓인 동전 금액의 합 □ 원

← 방향에 놓인 동전 금액의 합 □ 원

(2) 금액의 합이 큰 쪽에서 얼마짜리 동전을 옮겨야 가로와 세로의 금액의 합이 같아집니까?

(3) 동전을 하나 옮겨 화살표 위에 놓인 동전의 금액의 합이 서로 같도록 만들어 보시오.

(4) (3)의 방법과는 또 다른 방법으로 금액의 합이 서로 같도록 만들어 보시오.

01 동전 1개를 옮겨서 화살표 위에 놓인 동전의 금액의 합이 모두 같도록 만드시오.

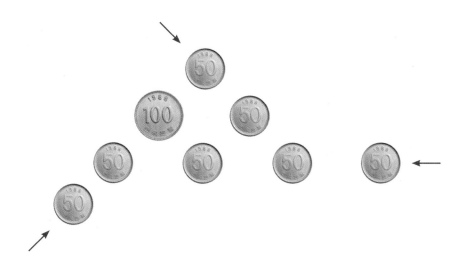

02 세모의 한 줄에 있는 동전 3개의 금액의 합이 650원으로 같을 때, 빈 곳에 알맞은 금액을 써넣으시오.

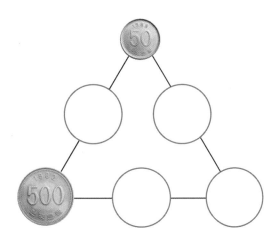

36을 같은 수 2개로 가르는 두 가지 방법을 알아보려고 합니다. 빈칸에 알맞은 수를 써넣으시오.

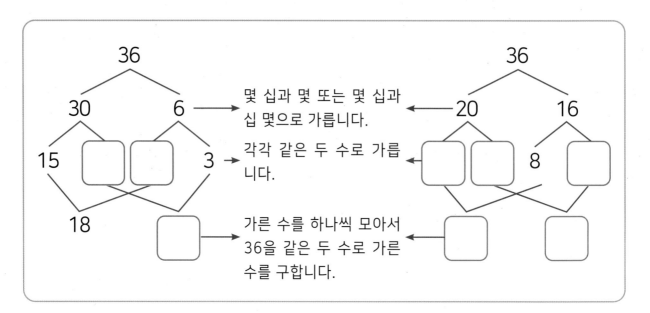

 둘 다 똑같은 결과가 나오니까 수에 따라 둘 중 좀 더 편한 방법을 선택하면 돼.

💡 다음 수를 같은 두 수로 가른 수를 구하시오.

(1) 48

(2) 62

(3) 34

(4) 96

오른쪽 그림과 같이 1에서 4까지의 수를 합이 같게 짝짓는 선을 그릴 수 있습니다.

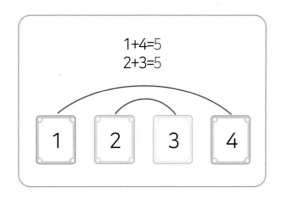

💡 1에서 6까지의 수를 둘씩 합이 같게 짝짓는 선을 그리시오.

💡 1에서 5까지의 수 중에서 1개를 제외한 나머지 수들의 합이 같게 둘씩 짝짓는 선을 서로 다른 방법으로 그리시오.

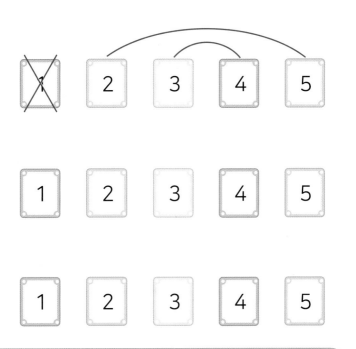

둘씩 합이 같게 짝을 지을 때는 수를 나란히 써넣고 선을 그리면 편리해.

② 수 퍼즐

탐구 유형 2-1　둘로 자르는 선

나누어진 부분의 합이 같도록 둘로 자르는 선을 그리시오.

3	6	7
8	1	6
4	2	5

• Point ▶ 나누어진 부분의 합을 먼저 구합니다.

(1) 수를 모두 더하면 얼마입니까?

(2) 나누어진 부분의 합이 얼마가 되게 잘라야 합니까?

(3) 둘로 자르는 선을 그리시오.

연습

01 나누어진 부분의 합이 같도록 둘로 자르는 선을 그리시오.

2	7	5	1
3	1	3	6

연습 02 마주보는 수의 합이 모두 같도록 ○ 안에 1에서 8까지의 수를 써넣으시오.

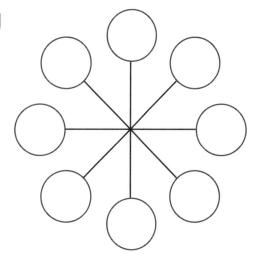

연습 03 나누어진 부분의 합이 모두 같도록 시계를 6부분으로 나누는 선을 그리시오.

연습 04 네모 모양 2개가 붙어 있는 모양을 도미노라고 합니다. 아래 두 수의 합이 모두 같은 도미노 5개로 자르는 선을 그리시오.

6	5	2	7
10	1	9	4
3	8		

마방진 기초

탐구 유형 2-2 **가로, 세로 수 넣기**

가로, 세로로 세 수의 합이 같도록 ○ 안에 1, 2, 3, 4, 5를 한 번씩 써넣으시오. 단, 한 줄의 합이 서로 다른 답을 찾습니다.

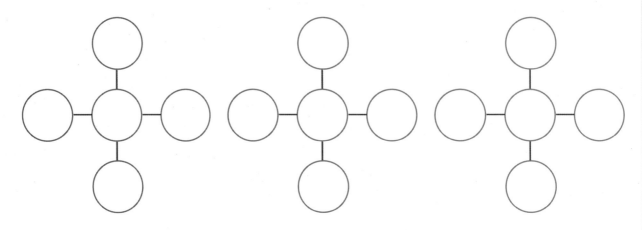

• Point ▷ 가운데 수는 가로, 세로에 모두 있기 때문에 마주보는 수끼리의 합이 같습니다.

(1) 1, 2, 3, 4, 5 중 4개의 수를 사용하여 마주보는 수의 합이 같도록 가운데 ○를 뺀 모양의 ○ 안에 알맞은 수를 써넣으시오.

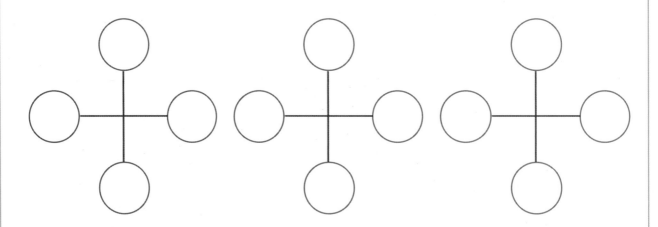

(2) (1)에서 구한 모양에 가운데 들어갈 수를 추가하여 답을 완성하시오.

01 1, 2, 3, 4를 한 번씩 써넣어서 가로줄의 세 수의 합과 세로줄의 두 수의 합이 같도록 만들려고 합니다. 색칠된 칸에 들어가는 수가 서로 다르게 두 모양에 수를 채우시오.

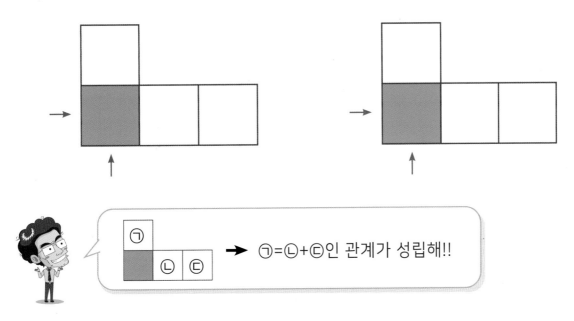

02 1, 2, 4, 6, 7을 한 번씩 써넣어서 가로, 세로의 세 수의 합이 같도록 만들려고 합니다. 이때, 색칠된 칸에 들어가는 수를 구하시오.

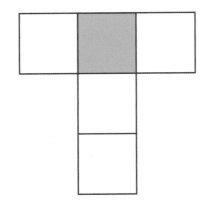

탐구 유형 2-3 **수 다르게 가르기**

보기 와 같이 6을 □ 안의 수가 모두 다른 수가 되도록 두 가지 방법으로 수를 갈라 보시오.

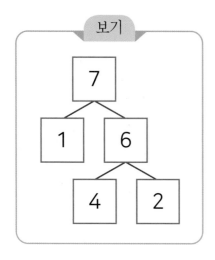

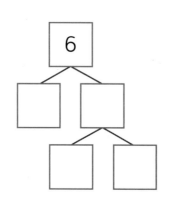

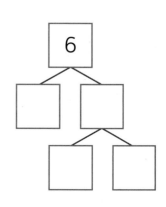

• Point ▶ □ 안의 수가 모두 달라야 합니다.

 연습

01 □ 안의 수가 모두 다른 수가 되도록 두 가지 방법으로 수를 갈라 보시오.

(1)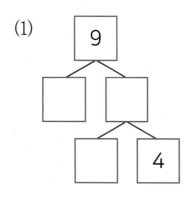

(2)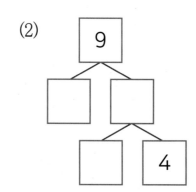

02 □ 안에 들어갈 네 수가 모두 다르게 수를 갈라 보시오.

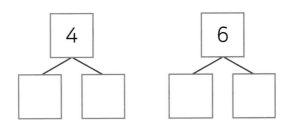

03 보기 와 같이 □ 안의 수가 모두 다르도록 9를 세 수로 가르는 방법은 몇 가지 입니까? 단, 같은 수의 순서만 바꾼 것은 한 가지로 생각합니다.

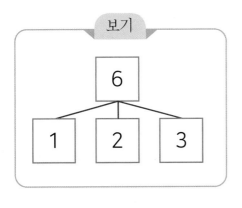

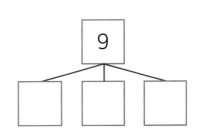

TOP 사고력

동전 5개와 같은 금액의
동전 1개가 무엇일지 생
각해 봅니다.

01 두 네모 안에 10원, 50원, 100원, 500원 짜리 동전을 놓아 금액의
합이 서로 같아지도록 하려고 합니다. 색깔이 같은 자리에 같은 동
전을 놓을 때 초록색 자리에 놓아야 하는 동전을 구하시오.

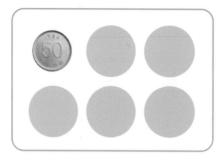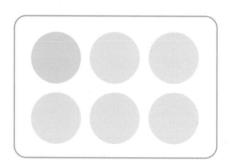

전체 수를 모두 더한 값
을 먼저 구해 봅니다.

02 보기 처럼 나눈 두 부분의 수의 합이 같도록 선을 한 번 그어 두 부
분으로 나누시오.

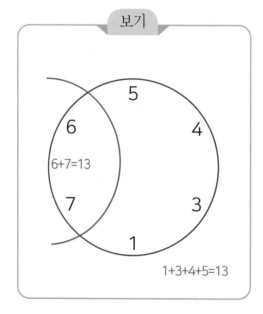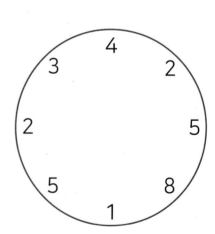

접
는
선

03 색칠된 칸에 2, 4, 6을 하나씩 넣어 두 번 모으기 한 값이 14가 되도록 만드시오.

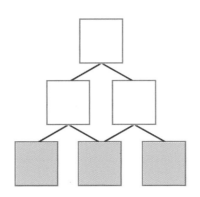

세 수를 넣는 순서에 따라 두 번 모으기 한 값이 달라집니다.

TOP of TOP

04 화살표 옆의 금액은 가로와 세로에 놓인 금액의 합을 써놓은 것입니다. ㉠과 ㉡에 놓인 동전의 합을 구하시오.

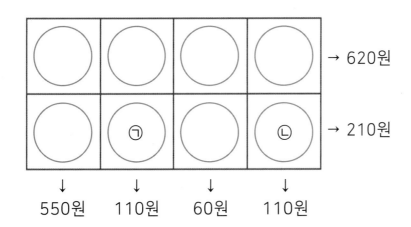

500원 짜리 동전이 들어가는 자리가 어디일지 먼저 생각해 봅니다.

접는 선

3. 연산 퍼즐 **61**

TOP 사고력 수학

4. 수와 식 만들기

수 넣어 식 만들기

식만들기

주어진 카드 4개 중에서 3개의 카드를 골라 더해서 주어진 수를 만들려고 합니다.

| 8 | 9 | 10 | 7 |

☐ + ☐ + ☐ = 24

3개의 카드를 골라 직접 모두 더해봐도 되지만 아래와 같은 방법으로 더 쉽게 더한 세 수를 찾을 수 있습니다.

카드 4장의 수를 전부 더합니다.　　　　　→　8 + 9 + 10 + 7 = 34

주어진 수와 전부 더한 수의 차를 구합니다.　→　34 - 24 = 10

34는 카드의 모든 수를 더한 수이기 때문에 나머지 3개의 수를 더한 24를 뺀 10이 남은 더하지 않은 카드의 수가 됩니다.

➔ 8 + 9 + 7 = 24

주어진 카드 4개 중에서 3개의 카드를 골라 ☐에 알맞은 수를 써넣으시오.

| 8 | 11 | 1 | 6 |

☐ + ☐ + ☐ = 18

주어진 카드 5장 중에서 3장을 골라 모두 더해서 주어진 수가 되도록 하려고 합니다. 더한 카드 3장은 어떻게 찾을 수 있습니까?

| 3 | 7 | 6 | 8 | 9 |

☐ + ☐ + ☐ = 21

이번에도 5개의 수를 모두 더한 다음 3개 수의 합을 빼면

3   7   6   8   9   ⬜ + ⬜ + ⬜ = 21

3+7+6+8+9=33에서 33-21=12 이므로

12는 사용하지 않은 두 수의 합이 되지. 즉, 합이 12가 되는 두 수는 3과 9니까 나머지 카드의 수 7, 6, 8을 더하면 21이 돼.

➡ 7+6+8=21

어때, 3개의 합을 찾는 것보다 2개의 합을 찾는 것이 더 쉽지?

🌱 주어진 5개의 수를 하나씩 넣어서 식을 만들려고 합니다. ⬜에 알맞은 수를 모두 써 넣으시오.

5   6   7   8   9

(1)   ⬜ + ⬜ + ⬜ + ⬜ = 29

(2)   ⬜ + ⬜ + ⬜ = 23

탐구주제 1 목표 수 만들기

기호가 없는 식에 기호를 넣어 식이 성립되도록 하려고 합니다. 아래 식의 ○에 각각 알맞은 덧셈과 뺄셈 기호를 넣어 식을 완성하시오.

$$4 \bigcirc 9 \bigcirc 7 = 6$$

기호를 넣어보면서 찾을 수도 있지만 아래의 방법으로 생각하여 해결할 수도 있습니다.

$$4 \bigcirc 9 \bigcirc 7 = 6$$

일단 주어진 수가 모두 더해졌다고 생각합니다. ➜ $4 + 9 + 7 = 20$
모두 더한 20과 구하려는 수 6의 차이는 14입니다.

어떠한 수를 덧셈에서 뺄셈 기호로 바꾸면 더하기가 없어지고 그만큼 더 빼기 때문에 수를 두 번 빼는 것과 같습니다.

따라서 14는 4, 9, 7 중의 어떠한 수를 두 번 뺀 것입니다.
즉, 14를 똑같이 둘로 가른 7이 덧셈에서 뺄셈 기호로 바꾼 것입니다.

7을 덧셈에서 뺄셈 기호로 바꾸면 ➜ $4 + 9 - 7 = 6$

모두 더한 값과 구하려는 수의 차를 구한 다음 둘로 똑같이 가르면 덧셈에서 뺄셈으로 바꿔야 하는 수를 찾을 수 있어.

💡 ○에 각각 알맞은 덧셈과 뺄셈 기호를 넣어 식을 완성하시오.

(1) $7 \bigcirc 2 \bigcirc 5 = 10$

(2) $11 \bigcirc 3 \bigcirc 1 = 9$

수 4개의 ○ 안에 기호를 3개 넣는 경우에도 같은 방법으로 생각할 수 있습니다.

$$9 \bigcirc 4 \bigcirc 5 \bigcirc 6 = 4$$

같은 방법으로 주어진 수가 모두 더해졌다고 생각합니다.

→ $9+4+5+6=24$

모두 더한 24와 구하려는 수 4의 차이는 20입니다.

20을 똑같이 둘로 가른 10이 덧셈에서 뺄셈 기호로 바꾼 수의 합입니다.

더해서 10이 되는 수를 찾으면 4와 6이 있으므로 4와 6 앞에는 덧셈이 아닌 뺄셈 기호로 바꾸면 됩니다.

→ $9-4+5-6=4$

💡 ○에 각각 알맞은 덧셈과 뺄셈 기호를 넣어 식을 완성하시오.

(1) $3 \bigcirc 8 \bigcirc 2 \bigcirc 2 = 7$

(2) $15 \bigcirc 3 \bigcirc 2 \bigcirc 5 = 11$

(3) $10 \bigcirc 2 \bigcirc 6 \bigcirc 3 = 9$

토끼와 거북이가 말을 움직이는데 주어진 식의 ○ 안에 더하기 기호(+)를 사용하면 3칸을 가고 빼기 기호(-)를 사용하면 1칸을 갑니다. 토끼와 거북이 중 누가 더 멀리 움직였습니까?

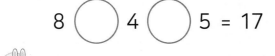

8 ◯ 4 ◯ 5 = 17

8 ◯ 9 ◯ 6 ◯ 7 = 4

연습

01   ○에 알맞은 기호를 넣어 식을 완성하시오.

(1) 12 ◯ 8 ◯ 9 = 13   (2) 8 ◯ 3 ◯ 7 = 12

(3) 16 ◯ 7 ◯ 3 ◯ 6 = 6

(4) 6 ◯ 3 ◯ 5 ◯ 7 = 15

탐구주제 1 목표 수 만들기

탐구 유형 1-2 수 넣어 식 만들기1

왼쪽 숫자 카드들 중 3장을 사용하여 오른쪽 덧셈식을 만들려고 합니다. 한 번도 사용하지 않게 되는 숫자 카드는 무엇입니까?

| 3 | 4 | 5 |

| 7 | 8 |

$$\boxed{} + \boxed{} + \boxed{} = 19$$

$$\boxed{} + \boxed{} + \boxed{} = 18$$

$$\boxed{} + \boxed{} + \boxed{} = 14$$

• Point ▷ 5개의 수를 모두 더한 수와 덧셈식의 구하려는 수의 차를 구합니다.

 연습

01 왼쪽의 수를 사용하여 두 식을 완성하려고 합니다. 이때, 사용되지 않는 수에 ×표 하시오.

```
    2  12  4

      7  5
```

$$\boxed{} + \boxed{} + \boxed{} = 14$$

$$\boxed{} + \boxed{} + \boxed{} = 19$$

02 깜이가 카드를 보고 서로 다른 세 수의 합이 같은 식을 많이 만들려고 합니다. 몇 개의 식을 만들 수 있는지 구하시오.

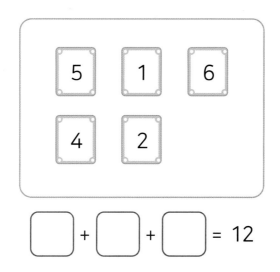

$\boxed{} + \boxed{} + \boxed{} = 12$

03 주어진 수를 □ 안에 하나씩 넣어 식을 각각 완성했을 때, 세 식의 □ 안에 모두 들어가는 수를 구하시오.

6 9 8 3 4

$\boxed{} + \boxed{} + \boxed{} = 13$

$\boxed{} + \boxed{} + \boxed{} = 15$

$\boxed{} + \boxed{} + \boxed{} + \boxed{} = 26$

탐구 유형 1-3 　　**수 넣어 식 만들기2**

과녁판에 화살 3개를 쏘아 모두 합친 점수를 30점으로 만들려고 합니다. 빗나가는 경우는 없다고 할 때, 모두 몇 가지 식을 만들 수 있는지 구하시오.

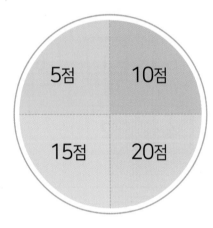

> • Point　화살이 같은 곳에도 맞을 수 있습니다.

(1) 세 화살이 모두 한 곳에 꽂히는 경우에 얻게 되는 점수를 식으로 나타내시오.

$$\boxed{} + \boxed{} + \boxed{} = 30$$

(2) 두 화살이 한 곳에 꽂히고 나머지 화살은 다른 곳에 꽂히는 경우에 얻게 되는 점수를 식으로 나타내시오.

$$\boxed{} + \boxed{} + \boxed{} = 30$$

(3) 세 화살 모두 다른 곳에 꽂힐 경우에 알맞은 수를 써넣으시오.

$$\boxed{} + \boxed{} + \boxed{} = 30$$

(4) 모두 몇 가지 식을 만들 수 있습니까?

연습 01 1부터 4까지의 수가 쓰여진 공이 3개씩 있습니다. 공에 쓰여있는 수를 이용하여 오른쪽 식을 완성하려고 합니다. 모두 몇 가지 식이 나올 수 있는지 구하시오.

① ② ③ ④

① ② ③ ④

① ② ③ ④

$$\boxed{} + \boxed{} + \boxed{} = 6$$

연습 02 주어진 수를 넣어 식을 완성하려고 합니다. 같은 수를 여러 번 넣을 수 있다고 할 때, 둘 중 식을 더 많이 만들 수 있는 것을 고르시오.

3 5 4 2

$$\boxed{} + \boxed{} + \boxed{} = 8$$

$$\boxed{} + \boxed{} + \boxed{} = 12$$

예비활동 가이드 5쪽

눈금 없는
측정

추 3개와 양팔저울을 이용해서 여러 가지 무게를 잴 수 있습니다. 추에 적힌 수는 추의 무게를 나타냅니다.

양팔저울의 한쪽에 추를 놓는 경우 한쪽에 놓인 추의 무게를 모두 더해서 물건의 무게를 잴 수 있습니다.

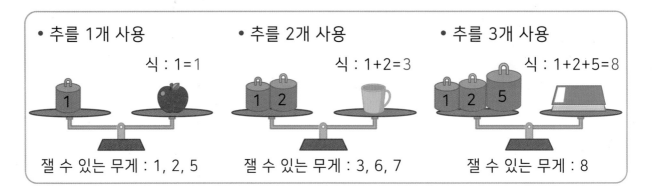

• 추를 1개 사용

식 : 1=1

잴 수 있는 무게 : 1, 2, 5

• 추를 2개 사용

식 : 1+2=3

잴 수 있는 무게 : 3, 6, 7

• 추를 3개 사용

식 : 1+2+5=8

잴 수 있는 무게 : 8

양쪽에 추를 놓는 경우 양쪽의 무게의 차를 이용해서 물건의 무게를 잴 수 있습니다.

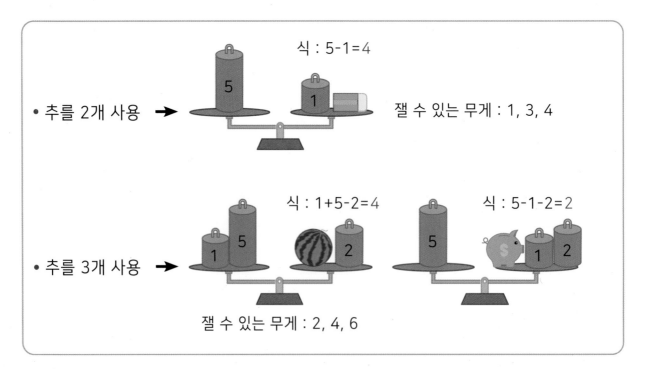

• 추를 2개 사용 ➡

식 : 5-1=4

잴 수 있는 무게 : 1, 3, 4

• 추를 3개 사용 ➡

식 : 1+5-2=4

식 : 5-1-2=2

잴 수 있는 무게 : 2, 4, 6

같은 접시에 놓인 추의 무게는 더하고, 다른 접시에 놓인 추의 무게는 빼서 물건의 무게를 잴 수 있어.

💡 추 2개로 잴 수 있는 무게를 모두 쓰시오.

💡 추 3개로 무게를 재었습니다. 물건의 무게를 구하시오.

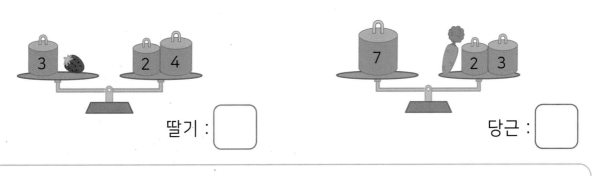

딸기 : ☐

당근 : ☐

길이가 서로 다른 막대 3개로 여러가지 길이를
잴 수 있습니다.

| 2 |
| 3 |
| 6 |

• 막대를 1개 사용 : 2, 3, 6

	나란히 이을 때	옆에 붙일때
막대를 2개 사용 :	식 : 2+6=8 잴 수 있는 무게 : 5, 8, 9	식 : 6-2=4 잴 수 있는 무게 : 1, 3, 4
막대를 3개 사용 :	식 : 2+3+6=11 잴 수 있는 무게 : 11	식 : 6-3-2=1 잴 수 있는 무게 : 1, 5, 7

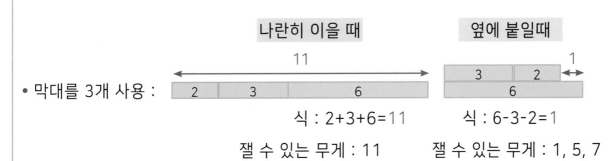

2 눈금 없는 측정

잴 수 있는 길이

길이가 3, 4, 5인 막대 3개로 잴 수 있는 길이를 모두 찾으려고 합니다.

| 3 | 4 | 5 |

표의 빈 곳에 그림을 그려서 길이를 재는 방법을 나타내시오.

길이	나무 막대 그림	길이	나무 막대 그림
1	 4 3 1	7	
2		8	3 5 8
3	3 3	9	4 5 9
4	4 4	10	잴 수 없음
5	5 5	11	잴 수 없음
6		12	

• Point 이어 붙인 길이는 합을, 옆으로 대어 비교한 길이는 차를 이용합니다.

연습

01 다음 막대 3개로 길이를 잴 수 없는 연필에 × 표 하시오.

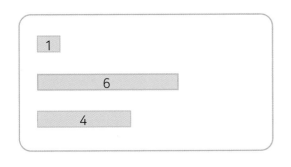
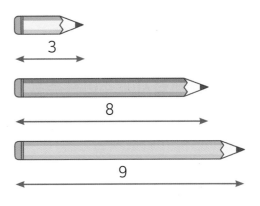

연습

02 다음 막대를 모두 사용하여 길이 7을 재는 방법을 그림으로 나타내시오.

| 3 | 4 | 8 |

2 눈금 없는 측정

탐구 유형 2-2 **잴 수 있는 무게**

무게가 1, 4, 7인 추로 잴 수 있는 무게를 찾아보려고 합니다.

양팔저울의 빈 접시에 주어진 추를 그려 넣어서 표를 완성하시오.

무게	양팔저울 그림	무게	양팔저울 그림
1	1 ?	7	7 ?
2		8	1 7 ?
3	4 1 ?	9	잴 수 없음
4	4 ?	10	
5		11	4 7 ?
6		12	1 4 7 ?

• Point ▶ 한쪽 접시에만 추를 올리면 합을 이용하고, 양쪽에 올리면 차를 이용합니다.

연습

01 무게가 4와 8인 추 2개를 사용하여 잴 수 있는 무게를 모두 쓰시오.

연습

02 1부터 9까지의 무게 중에서 그림의 추 3개로 나타낼 수 없는 무게에 모두 ×표 하시오.

1 2 3 4 5 6 7 8 9

연습

03 아래의 추 3개를 모두 사용하여 무게가 9인 필통의 무게를 나타내는 방법을 식으로 나타내시오.

무게 : 9

식 : _____

뒤집은 카드의 수를 제외하고 나머지 두 수의 합이 같습니다.

01 주어진 수 카드 중 3개의 수를 골라 식이 모두 성립하도록 하려고 합니다. 이때, 뒤집어진 수 카드는 두 식에 모두 들어가는 수일 때, 뒤집어진 카드의 수를 구하시오.

| 3 | | 7 | | 4 |

 6 ☐

☐ + ☐ + ☐ = 12

☐ + ☐ + ☐ = 12

큰 수를 더해서 나오는 수로 놓고 생각해 봅니다.

02 숫자 카드를 한 번씩 사용하여 두 식이 모두 성립하도록 하려고 합니다. 사용하고 남는 숫자 카드의 수를 구하시오.

| 3 | 4 | 5 | 6 | 8 | 9 | 10 |

 + =

☐ + ☐ = ☐

03 주머니에 있는 세 카드 중 한 장을 내거나 여러 장을 더하고 빼서 1 부터 10까지의 수를 될수록 많이 만드는 놀이를 하려고 합니다. 가장 불리한 주머니에 ○표 하시오.

1부터 10까지의 수 중에 각각 몇 개의 수를 만들 수 있는지 세어 봅니다.

TOP of TOP

04 3개의 추로 다음 무게를 모두 잴 수 있도록 ? 에 알맞은 추의 무게를 구하시오.

무게가 2와 5인 추 2개로 잴 수 있는 무게를 먼저 지워둡니다.

1 2 3 4 5 6 7 8 9

TOP
사고력 쑥쑥

학습주제를 시작할 때 학습 날짜를 기록하면서 전체 학습 진도 상황을 체크해 보세요.

A2	단원	학습 주제	학습 날짜	
측정	1. 비교하기	1-1. 직접 비교하기	월/	일
		1-2. 간접 비교하기	월/	일
	2. 저울산과 넓이	2-1. 저울산	월/	일
		2-2. 단위넓이	월/	일
연산	3. 연산 퍼즐	3-1. 동전 퍼즐	월/	일
		3-2. 수 퍼즐	월/	일
	4. 수와 식 만들기	4-1. 목표 수 만들기	월/	일
		4-2. 눈금 없는 측정	월/	일

1-1. 직접 비교하기 | 01~06

01 둥근 기둥 모양에 밧줄이 감겨 있습니다. 감겨진 밧줄이 가장 긴 것에 ○표, 가장 짧은 것에 △표 하시오.

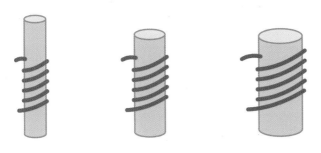

! **유형 1-1**
밧줄로 한 바퀴를 감았을 때, 사용한 밧줄의 길이를 생각해 봅니다.

02 나무 도막에 같은 길이의 못 4개를 망치로 박았습니다. 나무에 박힌 못의 길이가 긴 순서대로 번호를 쓰시오.

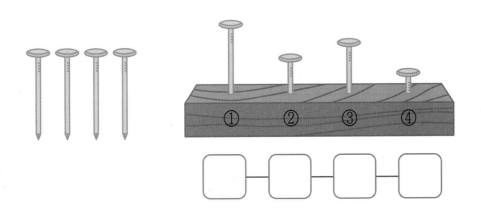

! **유형 1-1**
밖으로 나온 길이가 길수록 나무에 박힌 못의 길이는 짧습니다.

유형 1-1

곰은 발이 땅에 닿아 있
으므로 키가
가장 큽니다.

03 키가 가장 큰 동물부터 차례로 번호를 쓰시오.

유형 1-1

땅에서부터 길이가 짧을
수록 땅을 적게 파고 들
어간 것입니다.

04 두더지 3마리가 땅을 파고 들어가 있습니다. 가장 땅을 적게 파고
들어간 두더지에 ○표 하시오.

접는 선

05 세 사람이 같은 양이 들어 있던 오렌지 주스를 먹고 남은 주스를 서로 다른 병에 담았습니다. 가장 주스를 적게 먹은 사람에 ○표 하시오.

! 유형 1-2
주스를 적게 마실수록 남은 주스의 양이 어떻게 될지 생각해 봅니다.

06 서로 다른 양의 물이 들어 있는 그릇 3개에 감자를 몇 개씩 넣었더니 물이 모두 가득 찼습니다. 감자를 많이 넣은 그릇의 순서대로 번호를 써넣으시오.

! 유형 1-2
감자를 많이 넣을수록 물의 높이는 어떻게 될지 생각해 봅니다.

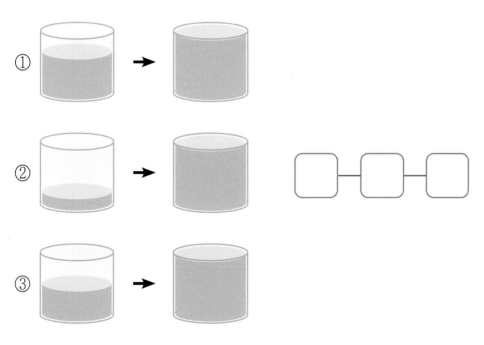

유형 2-1
모든 선의 출발점을 같게
하여 비교해 봅니다.

07 선의 길이가 가장 짧은 것부터 길이 순서대로 번호를 쓰시오.

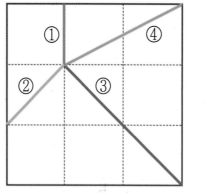

유형 2-1
같은 길이를 하나씩 지우
고 남아 있는 길이를 비
교해 봅니다.

08 깜이네 집에서 학교, 공원, 문구점을 가는 길을 나타내는 것입니다.
깜이네 집에서 가장 먼 곳은 어디인지 쓰시오.

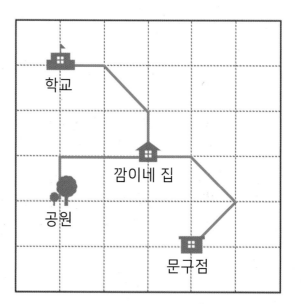

접는 선

09 동물들이 뜀틀 위에서 키를 비교하였습니다. 강아지와 키가 같은 친구에 ○표 하시오.

! 유형 2-1
강아지 옆의 뜀틀보다 키가 얼마나 작은지 구해 봅니다.

10 같은 크기의 네모를 붙여서 만든 모양입니다. 둘 중 색칠된 길이가 더 긴 쪽에 ○표 하시오.

! 유형 1-2
네모의 가로의 길이를 두 개 합치면 세로의 길이와 같습니다.

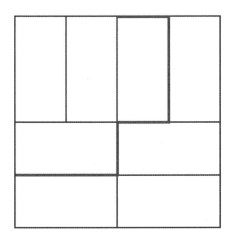

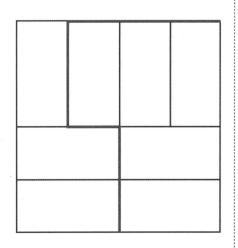

유형 2-1

번호 순서대로 뒷면에 보이지 않는 선을 그리고, 두 가지 길이의 선으로 나누어서 세어 봅니다.

11 같은 간격으로 선이 그려져 있는 손수건에 실과 바늘로 바느질을 했습니다. 손수건에 적힌 수는 바늘이 통과한 순서입니다. 바느질을 한 실의 길이가 가장 긴 것을 고르시오.

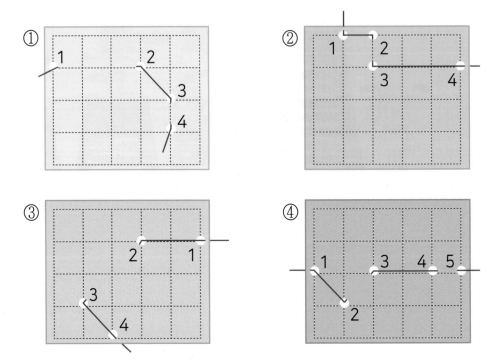

유형 2-3

가 3개가 나 2개의 무게와 같으므로 나 공이 가 공보다 무겁습니다.

12 가벼운 공의 순서대로 기호를 쓰시오.

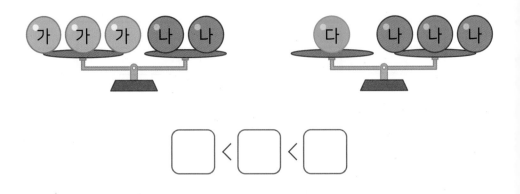

13 다음 중 가장 가벼운 동물을 고르시오.

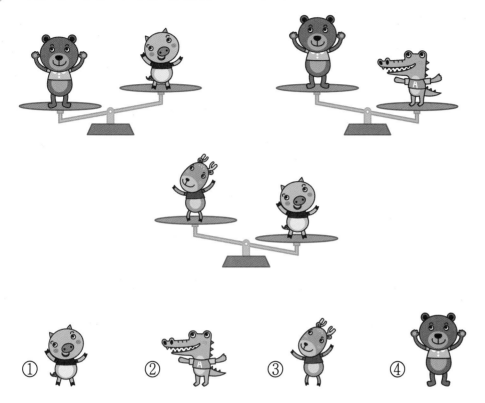

① ② ③ ④

유형 2-3
저울을 비교해보면 가장 무거운 동물은 악어입니다.

14 개미, 벌, 나비, 무당벌레가 시소를 탔습니다. 무게가 무거운 순서 대로 곤충의 이름을 쓰시오.

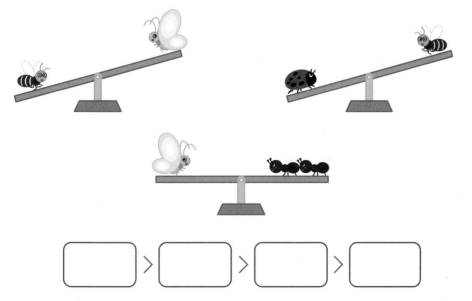

☐ > ☐ > ☐ > ☐

유형 2-3
나비와 개미 두 마리의 무게가 같으므로 나비는 개미보다 무겁습니다.

유형 2-4

공 1개를 넣었을 때,
물의 높이가 몇 칸
늘어나는지 생각해
봅니다.

15 물을 담은 그릇에 공 두 개를 넣었습니다. 같은 공을 몇 개 더 넣을
    때 물이 넘치는지 구하시오.

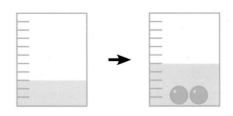

유형 2-4

빨간색 공을 넣으면 물의
높이가 1칸 올라갑니다.

16 보기 를 보고 아래 그릇에서 공을 모두 뺐을 때, 빈 그릇에 남아 있
    는 물을 그리시오.

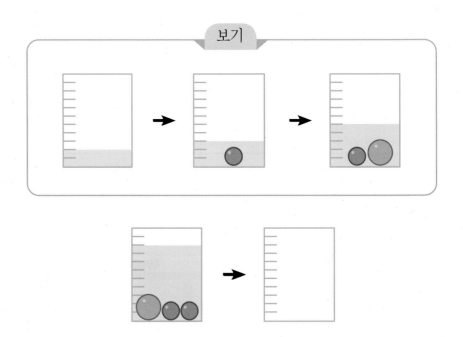

보기

접
는
선

2-1. 저울산 | 01~08

01 클립 하나의 무게를 1이라 할 때, □ 안에 알맞은 무게를 써넣으시오.

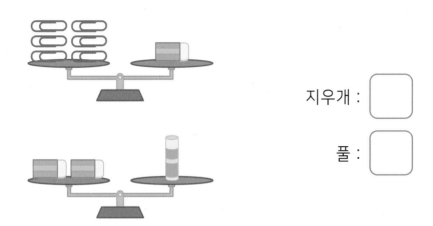

지우개 : ☐

풀 : ☐

! 유형 1-1
풀의 무게는 지우개를 클립으로 모두 바꾼 것과 무게가 같습니다.

02 두 장난감의 무게를 양팔저울과 블록을 이용하여 비교했습니다.

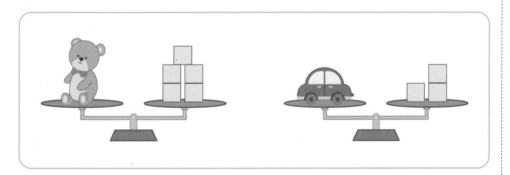

아래와 같이 양팔저울이 평형을 이루도록 할 때, 곰이나 자동차 옆에 더 올려야 하는 블록을 그리시오.

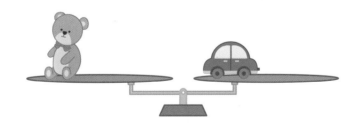

! 유형 1-1
곰 인형과 장난감 자동차를 블록으로 바꾼 다음 어느 쪽에 블록을 올려야 할지 생각해 봅니다.

접는선

유형 1-1
첫 번째 저울에서 양쪽에서 가와 나의 상자를 똑같이 덜어낼 수 있습니다.

03 무게가 다른 세 종류의 상자가 있습니다. 다 상자의 무게는 나 상자 몇 개의 무게와 같은지 구하시오.

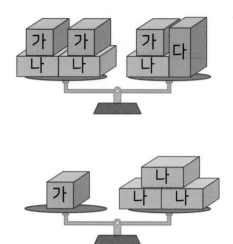

유형 1-1
사과 1개가 딸기 몇 개와 같은지 생각해봅니다.

04 그림을 보고 무게가 같게 되는 과일의 개수를 □에 써넣으시오.

05 동물들의 무게를 비교한 것입니다. 추의 무게가 모두 같을 때, 가장 가벼운 동물의 이름을 쓰시오.

유형1-1
강아지는 여우보다 추 2개만큼 더 무겁습니다.

06 다음 그림에서 ★ 하나의 무게는 ■ 몇 개의 무게와 같은지 구하시오.

유형1-2
첫 번째 저울에서 ● 하나의 무게는 ■ 몇 개의 무게와 같은지 구합니다.

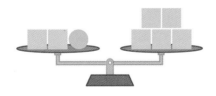

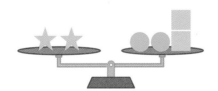

07 다음 그림에서 마지막 빈 접시에 놓아야 하는 파란색 구슬을 개수대로 ○로 그리시오.

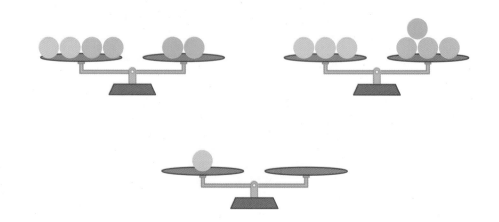

08 다음 그림에서 농구공, 축구공, 배구공의 무게는 야구공 몇 개의 무게와 같은지 구하시오.

09 모눈 1칸의 넓이를 1이라고 할 때, 각 모양의 넓이를 □ 안에 써넣으시오.

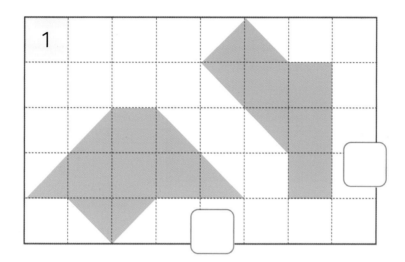

유형2-1
세모 모양 2개의 넓이의 합이 모눈 한 칸의 넓이와 같습니다.

10 주어진 모양과 넓이가 다른 것을 찾아 ○표 하시오.

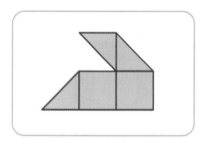

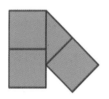

유형2-1
세모 하나의 넓이를 1이라고 생각하고 넓이를 각각 구해봅니다.

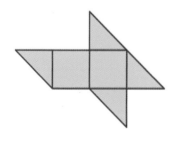

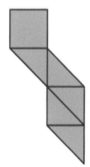

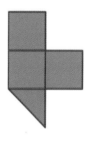

유형 2-1

단위넓이를 정해서 각각
색칠된 곳의 개수를 세어
봅니다.

11 가장 많이 색칠된 색에 ○표 하시오.

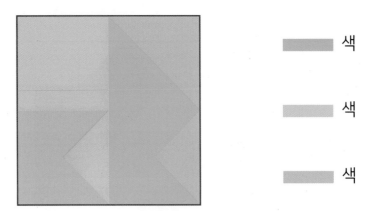

_____ 색

_____ 색

_____ 색

유형 2-2

넓이가 2인 세모 모양으
로 나누는 선을 긋고 생
각해 봅니다.

12 칠교 퍼즐에 가장 작은 세모 모양의 넓이를 2라고 할 때, □에 나머
지 조각의 넓이를 써넣으시오.

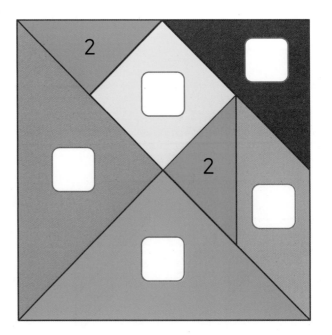

접는 선

13 깜이와 냥이가 칠교를 가지고 모양을 만들었습니다. 넓이가 더 큰 모양에 ○표 하시오.

! 유형 2-2
넓이가 같은 세모 모양으로 나누는 선을 긋고 생각해 봅니다.

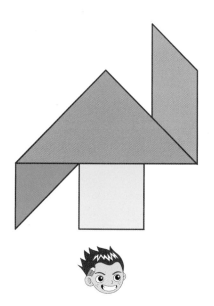

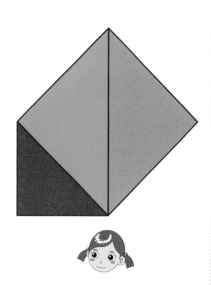

14 넓이가 가장 큰 세모와 가장 작은 세모는 모눈 눈금 몇 칸의 넓이만큼 차이 나는지 구하시오.

! 유형 2-3
넓이가 2배인 네모 모양을 그려서 각각의 넓이를 구합니다.

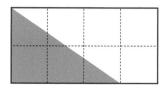 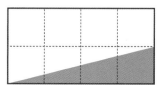 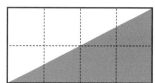

유형 2-3
모양을 세모 모양으로 나
눠서 생각해 봅니다.

15 모눈 한 칸의 넓이를 1이라 할 때, □ 안에 모양의 넓이를 써넣으시오.

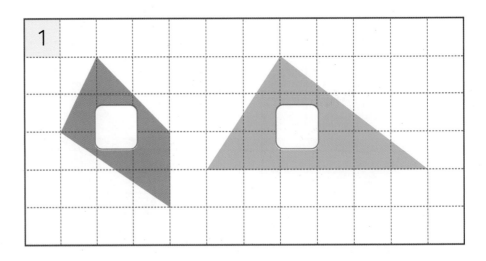

유형 2-3
구하기 힘든 모양은 잘라
서 넓이를 구해봅니다.

16 깜이는 피자 가게에 가서 아래 세 개의 피자 중에서 하나를 고르려
고 합니다. 가장 많이 먹을 수 있는 피자의 기호를 쓰시오.

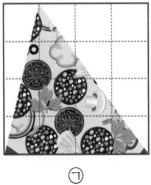 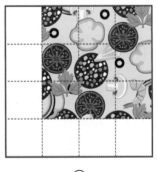 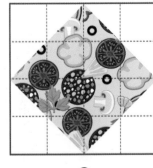

㉠ ㉡ ㉢

접
는
선

3. 연산 퍼즐

3-1. 동전 퍼즐 | 01~06

01 동전이 실에 매달려 있는데 매달려 있는 동전 금액의 합이 680원이 되도록 두 군데를 자르려고 합니다. 잘라야 하는 두 군데에 ×표 하시오.

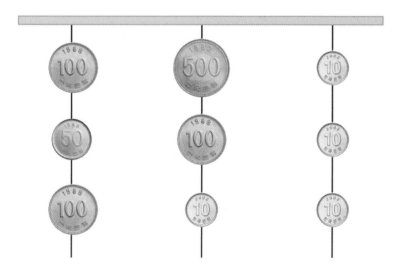

유형1
실을 자르면 자른 부분 아래가 모두 떨어집니다.

02 양쪽 주머니의 동전 금액의 합이 같아지도록 서로 동전 한 개씩을 옮겨야 합니다. 옮겨야 하는 동전에 ○표 하시오.

유형1
양쪽의 금액의 합을 먼저 구한 다음 금액 차이를 구해서 어떤 동전을 옮겨야 할 지 생각합니다.

! 유형 1-1

가로로 첫째 줄의 빈 곳에는 반드시 500원 짜리 동전이 놓여야 합니다.

03 가로 또는 세로줄의 동전 금액의 합이 모두 같도록 빈 곳에 알맞은 금액을 써넣으시오.

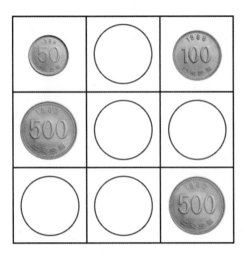

! 유형 1-1

가로와 세로의 동전 금액의 합을 각각 구한 다음 옮겨야 하는 곳을 찾아봅니다.

04 동전 1개를 옮겨서 가로로 놓인 동전의 금액의 합과 세로로 놓인 동전의 금액의 합이 각각 같게 만드시오.

05 동전 1개를 옮겨서 화살표 위에 놓인 동전의 금액의 합이 모두 같도록 만드시오. 단, 동전과 동전을 겹쳐 놓을 수 있습니다.

유형 1-2
금액이 작은 줄은 금액이 커져야 하고, 금액이 가장 큰 줄은 금액이 작아져야 합니다.

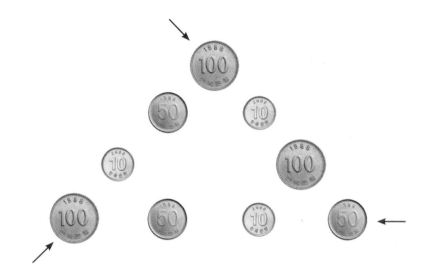

06 가로나 세로로 같은 한 줄에 있는 동전 3개의 금액의 합이 650원으로 같을 때, 빈 곳에 알맞은 금액을 써넣으시오.

유형 1-2
한 줄에 3개의 동전이 들어가면서 합이 650원이 되어야 합니다.

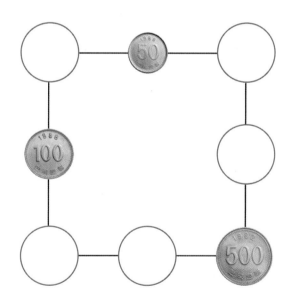

유형 2-1
둘씩 짝지어서 더했을 때 모두 같은 수가 되어야 합니다.

07 주어진 수를 한 번씩 써넣어 마주보는 수끼리 합이 같아지게 만드시오.

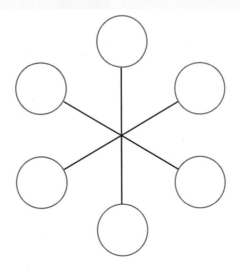

2 4 6 8 10 12

유형 2-1
칸 안에 있는 모든 수의 합을 먼저 구한 다음 반으로 가른 수를 구합니다.

08 아래 칸을 둘로 나누는 선을 그려 나누어진 두 부분의 합이 같도록 만드시오.

	5	4	3
1	4	7	1
2	3		

접는 선

09 아래 칸을 넷으로 자르는 선을 그려 나누어진 네 부분의 합이 모두 같도록 만드시오.

❗ 유형 2-1

칸 안의 수를 모두 더한 다음 둘로 가른 수를 다시 둘로 가르면 합을 같은 수 4개로 가를 수 있습니다.

1	2	3	2
5	7	1	2
3	5	6	7

10 나누어진 부분에 합이 같도록 시계를 수의 2부분으로 나누는 선을 그리시오.

❗ 유형 2-1

시계에 있는 수를 모두 더하면 78입니다.

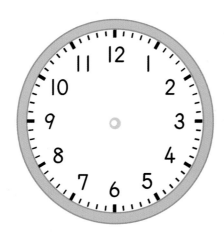

유형 2-2
한 수를 제외하고 합
이 같게 되는 카드 2
장씩을 묶은 다음 제
외했던 수를 가운데
색칠한 칸에 넣습니다.

11 주어진 수를 빈칸에 한 번씩 써넣어 가로와 세로의 합이 같아지도록 하려고 합니다. 서로 합이 다른 방법으로 수를 넣으시오.

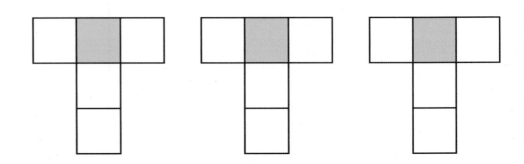

유형 2-2
색칠한 칸은 양쪽에 공통으로 더해지는 수이기 때문에 수가 클수록 전체의 합이 커집니다.

12 숫자 카드의 수를 빈칸에 하나씩 넣어 가로와 세로 방향의 수의 합이 같도록 만들 때 색칠한 곳에 어떤 수를 넣어야 합이 제일 커지는지 구하시오.

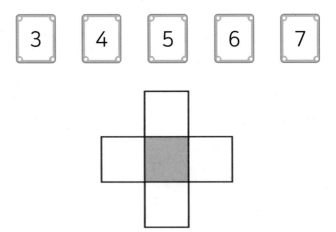

접는선

13 1, 3, 7, 4를 한 번씩 써넣어서 가로줄의 세 수의 합과 세로줄의 두 수의 합이 같도록 만들려고 합니다. 색칠된 칸에 들어가는 수가 서로 다르게 두 모양에 수를 채우시오.

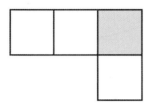 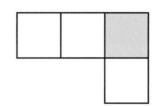

! 유형 2-2

가와 나의 합이 다와 같아야 합니다.

가	나	
		다

14 6을 색칠된 칸 안의 수가 모두 다른 수가 되도록 가를 때, 색칠된 빈칸에 들어가는 수의 합을 구하시오.

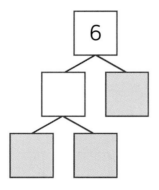

! 유형 2-3

6을 서로 다른 세 수로 나누면 1, 2, 3이 됩니다.

유형 2-3

11을 두 수로 어떻게 나
눠야 할 지부터 생각해
봅니다.

15 11을 □ 안의 수가 모두 다른 수가 되도록 가른 것입니다. 빈칸에
알맞은 수를 써넣으시오.

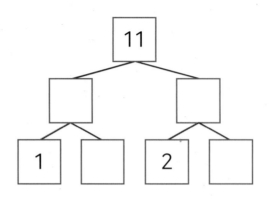

유형 2-3

12를 3과 9, 4와 8, 5와
7로 갈라서 각각 넣어 봅
니다.

16 12를 빈 곳에 들어가는 수가 모두 다르도록 가르는 서로 다른 경우
는 몇 가지 입니까? 단, 가른 수는 같고, 순서만 바뀐 경우는 같은
것으로 생각합니다.

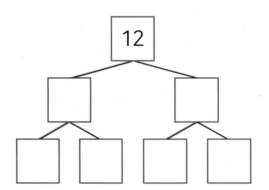

01 ○에 각각 알맞은 덧셈과 뺄셈 기호를 넣어 아래 식을 완성하시오.

$$7 \bigcirc 6 \bigcirc 1 \bigcirc 4 = 8$$

> **!** 유형1-1
> 7+6+1+4=18에서 결과가 8이 나오려면 10만큼 줄어들도록 부호를 바꿔야 합니다.

02 수와 수 사이에 덧셈(+)이나 뺄셈(−) 기호를 넣어 식을 완성할 때, 두 식에서 덧셈 기호는 모두 몇 번 사용하였는지 구하시오.

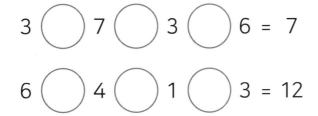

$$3 \bigcirc 7 \bigcirc 3 \bigcirc 6 = 7$$

$$6 \bigcirc 4 \bigcirc 1 \bigcirc 3 = 12$$

> **!** 유형1-1
> 첫째 식에서는
> 3+7+3+6=19에서 결과가 7이 나오려면 12가 줄어들도록 부호를 바꿔야 합니다.

접는 선

!️ 유형 1-2
6, 3, 8, 9, 5를 모두 더하면 31입니다.

03 아래의 수 중에서 4개를 골라 식을 만들려고 합니다. 두 식 모두에 사용하는 수 중에서 가장 큰 수를 구하시오.

$$6 \quad 3 \quad 8 \quad 9 \quad 5$$

$$\boxed{} + \boxed{} + \boxed{} + \boxed{} = 22$$

$$\boxed{} + \boxed{} + \boxed{} + \boxed{} = 23$$

!️ 유형 1-2
수가 큰 순서대로 공 3개를 뽑으면 7+5+4=16입니다. 이때, 4를 3, 2, 1로 바꾸면 합의 크기를 1씩 줄여나갈 수 있습니다.

04 상자 안의 공 중에서 3개를 꺼내어 공에 쓰여진 수를 모두 더할 때, 나올 수 없는 수에 ○표 하시오.

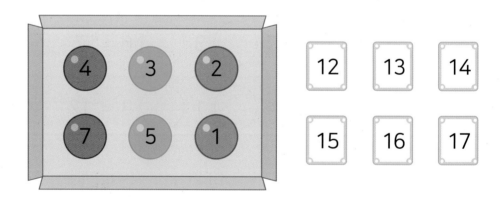

05 주어진 수를 아래 식의 □ 안에 하나씩 골라 넣어 완성하려고 합니다. □에 알맞은 수를 써넣으시오.

유형 1-2
수 하나를 먼저 고른 다음 나머지 두 수의 합이 얼마가 될지 따져봅니다.

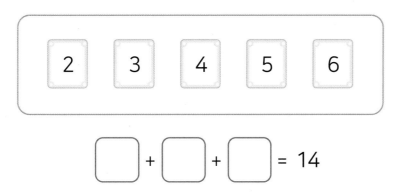

$$\boxed{} + \boxed{} + \boxed{} = 14$$

06 주어진 수를 넣어 식을 완성하려고 합니다. 같은 수를 여러 번 넣을 수 있다고 할 때 몇 개의 식을 만들 수 있는지 구하시오.

유형 1-3
수 하나가 5일 경우 나머지 두 개의 수의 합이 4가 되어야 합니다.

5   3   2   1

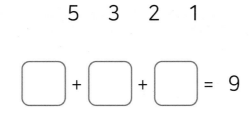

$$\boxed{} + \boxed{} + \boxed{} = 9$$

접
는
선

유형 1-3
하나의 수를 넣었을 때, 나머지 두 수로 10이 되는 합을 만들 수 없는 수를 찾습니다.

07 주어진 숫자 카드의 수를 여러 번 사용하여 아래 식을 완성하려고 합니다. 이때, 한 번도 사용되지 않는 수를 구하시오.

$$\boxed{2} \quad \boxed{3} \quad \boxed{4} \quad \boxed{7}$$

$$\boxed{} + \boxed{} + \boxed{} = 10$$

유형 1-3
같은 곳에서 또 공을 꺼낼 수 있습니다.

08 칸마다 같은 수가 쓰여진 공이 3개씩 있습니다. 여기서 공 3개를 꺼내 더했을 때, 18이 되는 경우는 모두 몇 가지가 있는지 구하시오.

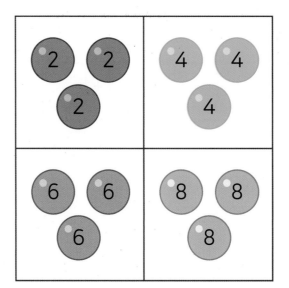

09 길이가 2와 3인 막대를 가지고 잴 수 없는 길이를 고르시오.

① 1   ② 2   ③ 3   ④ 4   ⑤ 5

❗ **유형 2-1**
두 막대의 길이를 더하거나 빼서 길이를 구할 수 있습니다.

10 깜이와 냥이 두 사람이 각각 막대를 3개씩 가지고 있습니다. 이때, 두 사람이 각각 가지고 있는 막대 2개를 이어붙여서 잴 수 있는 공통된 길이를 구하시오.

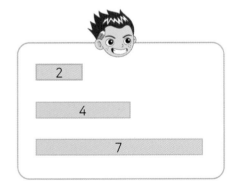
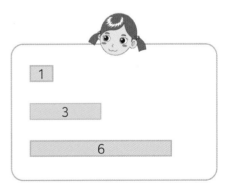

❗ **유형 2-1**
막대를 이어붙이면 두 막대의 길이를 더한 길이를 잴 수 있습니다.

접는 선

유형 2-1

두 막대의 길이를 더한 다음 다른 막대와의 길이의 차로도 길이를 잴 수 있습니다.

11 길이가 아래와 같은 빨대 3개를 이용하여 물건의 길이를 재려고 합니다. 길이를 재는 방법을 그림으로 나타내시오.

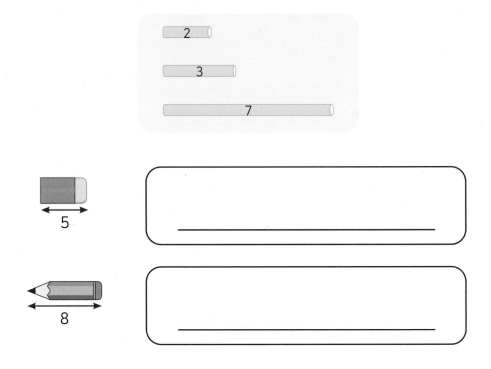

유형 2-1

막대 3개를 이용하면 모두 이어붙이는 방법과 2개를 이어붙이고 1개를 옆에 붙이는 방법이 있습니다.

12 아래의 막대 3개를 모두 사용하여 길이가 6인 물건의 길이를 재는 방법을 그림으로 나타내시오.

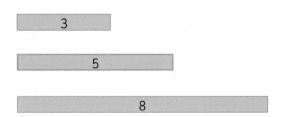

접는선

13 구슬에 쓰여 있는 수는 구슬의 무게를 나타냅니다. 아래의 추 2개를 사용하여 무게를 잴 수 있는 구슬은 모두 몇 개인지 구하시오.

! 유형 2-2
양팔저울에 추를 1개 놓거나 2개를 모두 놓거나 양쪽에 추를 하나씩 놓아서 물건의 무게를 잴 수 있습니다.

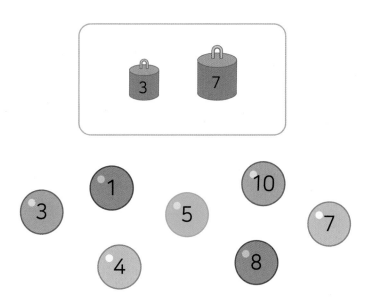

14 저울에 놓인 추를 보고 □ 안에 과일의 무게를 쓰시오.

! 유형 2-2
사과의 무게 : 4+3-2

(1)　　　　　　　　　　　　　　(2)

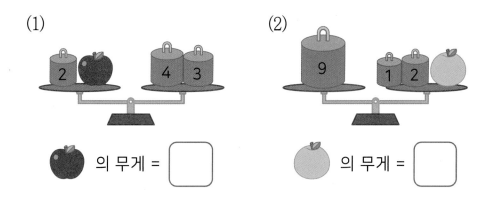

유형 2-2

한쪽 접시에만 추를 올려
놓으면 추의 무게의 차로
는 무게를 잴 수 없습니
다.

15 추를 한쪽 접시에만 올려 놓아 상자의 무게를 재려고 합니다. 상자
안의 수는 상자의 무게를 나타낼 때, 아래 상자 중 무게를 잴 수 있
는 것에 모두 ○표 하시오.

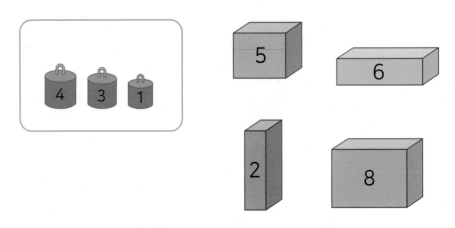

유형 2-2

추의 무게의 합과 차를
이용해서 10을 만드는
식을 구해 봅니다.

16 추 4개로 곰인형의 무게를 재려고 합니다. 곰인형의 무게가 10일
때, 추를 3개 사용하는 경우 필요 없는 추의 무게를 구하시오.

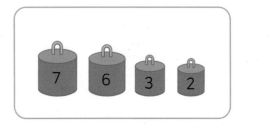

무게 : 10

추 3개로 무게를 잴 때 필요 없는 추의 무게 :

접
는
선

사고력 수학

예비 활동 가이드
정답 및 풀이

예비 활동 가이드

- 다양한 활동 방법 제시
- 예비 활동을 위한 활동 자료
- 본문의 이해를 돕는 예비 학습

정답 및 풀이

- 상세한 풀이 수록

측정 / 연산 A2 초1 · 초2

천종현수학연구소

예비 활동 가이드

2단원 33쪽 저울산과 넓이 - 2. 단위넓이

단위넓이란 넓이를 재는 기준이 되는 넓이로 넓이를 잰다는 것은 모양 안에 단위넓이가 몇 개 들어가는지 세는 것이나 다름없습니다. 수학에서 단위넓이는 가로, 세로의 길이가 1인 네모 모양(정사각형)입니다.

넓이를 구하는 문제를 해결해 보기 전에 예비 활동으로 넓이가 똑같이 1인 네모와 세모 타일과 다른 타일을 직접 비교하여 다른 타일의 넓이를 구하는 활동을 해 봅시다.

네모, 세모 타일로 넓이 재기

준비물 - 활동 자료 1

넓이가 1인 두 타일을 다른 타일에 대어 보고 다음 네 타일의 넓이를 구하시오. (정답 및 해설 32페이지)

각 타일의 넓이를 구했으면 타일을 직접 깔아서 여러 가지 모양의 넓이를 구하는 활동을 해 봅시다.

모양의 넓이

준비물 - 활동 자료 1

활동 자료 1의 6가지 타일을 이용하여 다음 모양의 넓이를 구하시오. (정답 및 해설 32페이지)

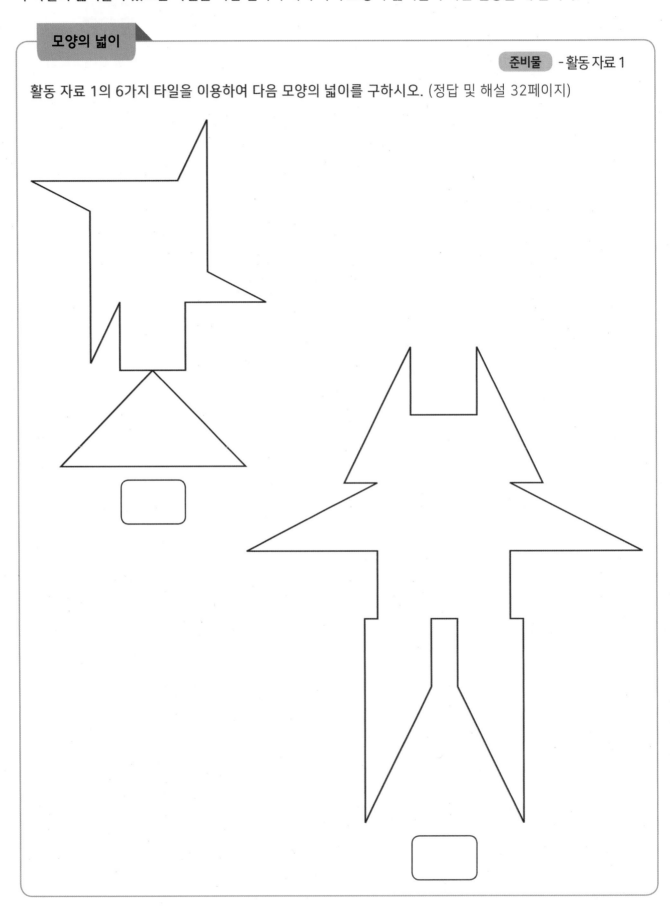

활동 자료 1의 6가지 타일을 이용하여 다음 모양의 넓이를 구하시오. (정답 및 해설 32페이지)

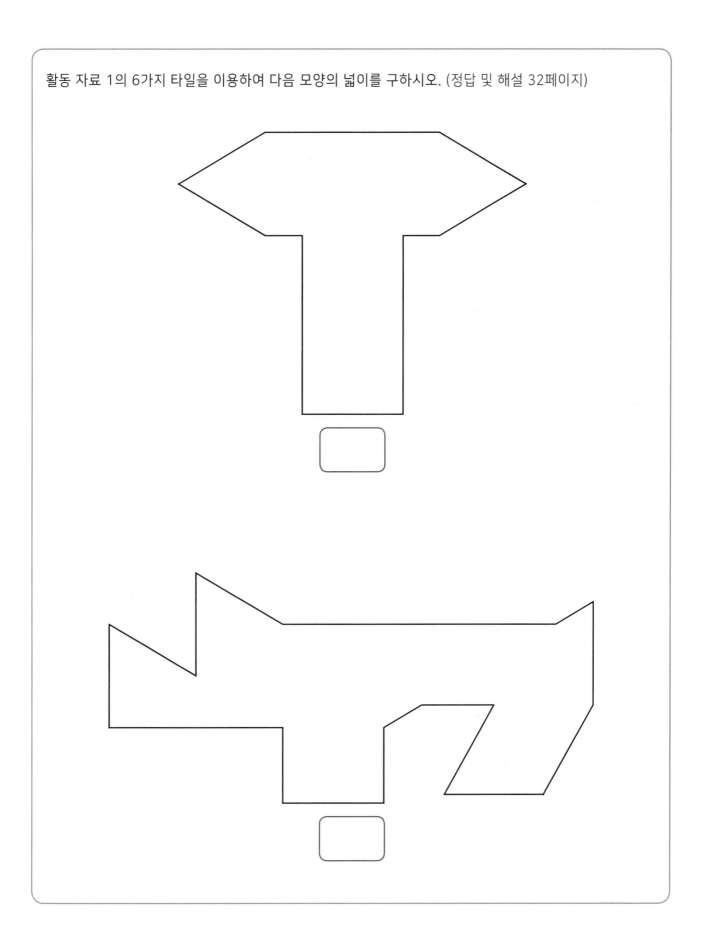

동전 퍼즐

동전 옮기기 게임을 해 봅시다.

다음 동전 게임은 본문에 문제로 나오지만 활동을 직접 해 보면서 원리를 찾고, 문제도 만들어 보는 것이 이해를 돕습니다. 활동을 통해서 직접 원리를 발견할 수 있도록 해 봅니다.

> ### 동전 옮기기 게임
>
> **준비물** - 활동 자료 2
>
> <게임 방법>
>
> ① 양쪽에 서로 다른 방법으로 금액의 합이 같도록 놓고, 동전 하나를 골라 다른 쪽으로 옮겨 놓습니다.
>
> ② 옮겨 놓은 동전의 금액을 찾아봅니다.
>
> <동전 옮기기 게임의 응용>
>
> 1단계
> 세 군데에 모두 같은 금액을 놓은 다음 동전 하나를 골라 다른 쪽으로 옮겨 놓습니다.
>
> 2단계
> 세 군데에 모두 같은 금액을 놓은 다음 동전 2개를 골라 다른 쪽으로 옮겨 놓습니다. 이 때 동전 2개는 같은 곳이나 다른 곳 어디에서 골라도 됩니다.

 눈금없는 측정

눈금 없는 측정이란 눈금이 있는 자나 저울을 사용하지 않고 길이를 아는 막대나 추와 양팔저울을 사용하여 무게를 측정하는 것을 말합니다. 주어진 길이나 무게의 합과 차를 이용하여 여러 가지 길이와 무게를 잴 수 있습니다.

잴 수 있는 길이

준비물 - 활동 자료 3

다음과 같이 길이가 서로 다른 막대 3개로 여러 가지 길이를 잴 수 있습니다. 단, 막대 안의 수는 막대의 길이를 나타냅니다.

| 1 | 3 | 5 |

(1) 막대를 이어 붙여서 합을 이용하는 방법

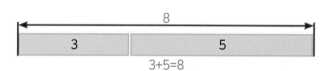

(2) 막대를 위나 아래에 붙여서 차를 이용하는 방법

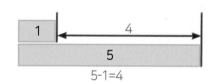

(3) 이어 붙인 막대의 위나 아래로 막대를 더 붙여서 합과 차를 이용하는 방법

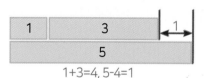

<활동 방법>

① 친구나 부모님과 함께 합니다.

② 활동 자료 3의 길이 막대를 1세트씩 나누어 가진 후, 술래를 정하고 술래가 1에서 10까지 중에서 서로 다른 막대 3개의 길이를 고릅니다.

③ 1분의 시간 동안 잴 수 있는 길이를 모두 찾고 시간이 모두 지나면 번갈아 가면서 찾은 길이를 재는 방법을 길이 막대를 이용하여 설명합니다. 마지막으로 잴 수 있는 길이를 설명한 사람이 활동을 이깁니다.

④ 길이를 바꾸어서 반복해 봅니다.

준비물 - 활동 자료 4

다음과 같이 추 3개로 여러 가지 무게를 잴 수 있습니다. 단, 추 안의 수는 추의 무게를 나타냅니다.

(1) 양팔저울의 한쪽에 추를 올려서 합으로 무게를 재는 방법

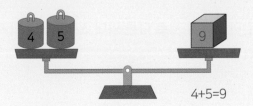

4+5=9

(2) 저울의 양쪽에 추를 올려서 합과 차로 무게를 재는 방법

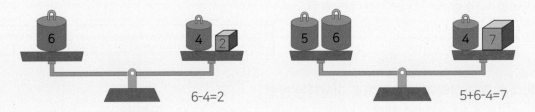

6-4=2   5+6-4=7

<활동 방법>

① 앞의 잴 수 있는 길이 활동과 마찬가지로 활동 자료 4의 추를 나누어 가진 후, 술래를 정하고 술래가 서로 다른 3개의 추를 정합니다.

② 일정한 시간 동안 잴 수 있는 무게를 모두 찾고 아래 그림의 접시 위에 추를 올려서 무게를 재는 방법을 설명합니다.

③ 누가 더 많이 찾았나 비교해 봅니다.

정답

1. 비교하기

9쪽

생각열기
무게의 순서

무게를 비교한 결과에 알맞게 ○ 안에 >, <를 써넣으시오.

양팔저울 두 개를 보고 세 과일의 무게 순서를 알 수 있을까요? 무거운 순서대로 빈칸에 알맞은 과일의 이름을 써넣으시오.

 왼쪽 저울에서 감보다 복숭아가 더 무거우니까 복숭아가 제일 무거운 거 아니야?

그런데 포도는 아직 비교 안 했잖아. 오른쪽 저울을 보면 포도가 복숭아보다 더 무거워.

포도 > 복숭아 > 감

이번에는 사과, 배, 바나나의 무게를 양팔저울로 비교했습니다. 가장 무거운 과일과 가장 가벼운 과일은 무엇입니까?

가장 무거운 과일은 배이고, 가장 가벼운 과일은 알 수 없습니다.

10쪽

사과와 바나나를 비교해 본 결과를 보고 배, 사과, 바나나의 무게 순서를 빈칸에 써넣어 봐.

①    ②

배 > 사과 > 바나나   배 > 바나나 > 사과

세 공의 무게 순서를 알기 위해서 양팔저울로 더 비교해 보아야 할 공 2개를 고르시오.

①   ②   ③

[풀이]

가장 가벼운 공이 파란색이라는 것은 알 수 있지만, 다른 두 공은 한 번 더 비교해야 알 수 있습니다.

11쪽

탐구주제
1 직접 비교하기

탐구 유형 1-1 길이의 비교

[정답] ①

[풀이]

잉크가 조금씩 나오기 때문에 더 오래 사용할 수 있습니다.

연습 01

[정답]

연습 02

[정답]

12쪽

연습 03

[정답] 나

[풀이] 초콜릿이 많은 순서는 차례로 나-가-다 입니다.

04

[정답]

[풀이]

발끝이 모두 같으므로 철봉의 높이나 머리끝의 높이를 비교하면 됩니다.

13쪽

탐구 유형 1-2 들이의 비교

[정답] (1) 물이 넘칩니다.

(2) 물이 가득 차지 않습니다.

연습 01

[정답] ②─①─④─③

[풀이]

①과 ④는 물이 담긴 부분의 아랫쪽 모양을 비교합니다.

14쪽

탐구 주제
2 간접 비교하기

깜이와 냥이가 학교에서 동시에 출발하여 그림과 같은 길로 놀이터를 갈 때 두 사람이 이동한 길의 거리를 구하시오.

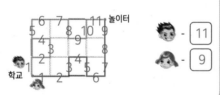

학교에서 출발하여 놀이터를 가는 가장 짧은 길을 그리고, 거리를 구하시오.

거리 - 7

[풀이]

가장 짧은 길의 거리는 7로 아래를 포함하여 여러 가지 방법이 있습니다.

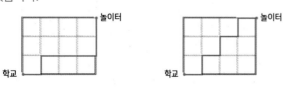

15쪽

깜이와 친구들이 운동장에 선을 그려 놓고 술래잡기를 하고 있습니다. 술래잡기를 할 때는 반드시 선을 따라서 가장 짧게 이동해야 합니다. 술래인 깜이가 잡으러 가려면 가장 많이 이동해야 하는 친구에 ○표 하시오.

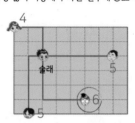

다음은 똑같은 세모 모양과 네모 모양을 붙여서 만든 모양입니다. 모양을 둘러싼 굵은 선의 길이가 다른 모양 하나를 찾아 △표 하시오.

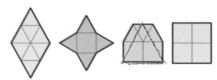

[풀이]

세 개의 모양은 둘러싼 굵은 선이 같은 길이의 작은 선 8개이고 만 7개로 되어 있습니다.

16쪽

탐구 유형 2-1 단위 길이의 비교

[정답] (1)

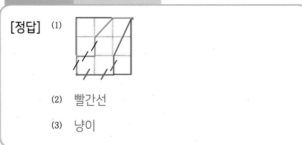

(2) 빨간선

(3) 냥이

연습 01

[정답]

[풀이]

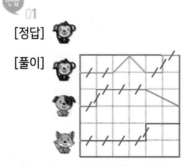

가로, 세로로 움직인 길 5개씩을 지우면 다음과 같이 길이 남습니다.

길이 먼 순서는 원숭이 > 개 > 여우 입니다.

8 TOP 사고력 수학 - A2

17쪽

연습 02

[정답] 🐸

[풀이]

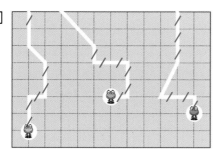

가로, 세로로 움직인 길을 6개씩 지우면 다음과 같이 길이 남습니다.

길이 먼 순서는 주황 > 초록 > 분홍 입니다.

연습 03

[정답]

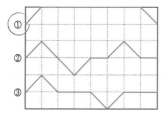

[풀이]

①, ②, ③ 모두 ☐ 또는 ◣ 모양의 길로 8번 이동했는데 ①의 ☐ 길이가 가장 많습니다.

18쪽

탐구 유형 2-2 두 가지 단위 길이

[정답] ⑴ 3   ⑵ 냥이

[풀이]

101동의 긴 쪽과 102동, 103동, 104동의 짧은 쪽을 비교해 보면 긴 쪽을 지나는 길은 짧은 쪽 3개를 지나는 길과 같습니다.

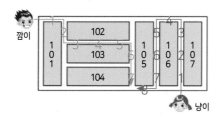

연습 01

[정답]

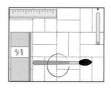

[풀이] 네모의 짧은 쪽이 연필 3, 자 4, 필통 4, 붓 5입니다.

19쪽

연습 02

[정답] ㉠

[풀이]

두 가지 색깔의 도미노가 겹친 부분을 보면 도미노의 짧은 쪽 2개와 긴 쪽 1개의 길이가 같습니다. ㉠은 도미노의 짧은 쪽이 7, ㉡은 6입니다.

연습 03

[정답] 🐝

[풀이] 그림에서 벌은 △하나 만큼 이동거리가 깁니다.

나비 : ○○○□△△

벌 : ○○○□△△△

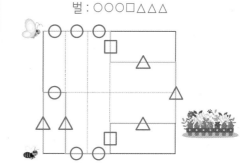

20쪽

탐구 유형 2-3 무게의 순서

[정답] ⑴ ☐1   ⑵ ☐3   ⑶ ☐1 > ☐3 > ☐2

[풀이]

왼쪽 양팔저울의 공 ③을 ② 2개로 바꾸면 공 ①은 공 ② 3개와 무게가 같습니다.

연습 01

[정답] 빵 > 초콜릿 > 사탕

[풀이] 사탕은 무게가 가장 가볍습니다.

연습 02

[정답] ①

[풀이]
왼쪽 저울에서 ①은 ② 2개와 무게가 같고, 오른쪽 저울에서
③은 ② 2개보다 무게가 가볍습니다.

연습 03

[정답] 빨간색 > 노란색 > 파란색

[풀이]
아래의 저울에서 빨간색 사탕이 가장 무겁습니다. 오른쪽 저
울과 왼쪽 저울을 보면 노란색 2개는 빨간색 1개보다 무겁고,
파란색 2개는 같은 빨간색 1개보다 가볍기 때문에 노란색이
파란색보다 무겁습니다.

22쪽

탐구 유형 2-4　들이의 비교

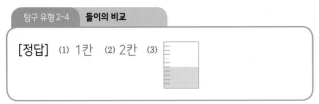
[정답]　(1) 1칸　(2) 2칸　(3)

연습 01

[정답]

[풀이]
물의 높이는 모두 같은데 야구공의 크기가 가장 크기 때문에
야구공이 있는 그릇의 물이 가장 적습니다.

23쪽

연습 02

[정답] 3개

[풀이]
지우개를 1개 넣었을 때 물의 높이가 3칸 올라갑니다. 오른쪽
그릇에 물이 차지 않은 눈금이 6칸 남아 있으므로 지우개 2개
를 넣으면 가득 차고 3개째에 물이 넘칩니다.

연습 03

[정답] ②

[풀이]
초록색 구슬은 물의 높이가 1칸 올라가고, 보라색 구슬은 3칸
올라갑니다.
구슬 때문에 올라간 물의 높이를 빼면 물만 넣었을 때의 물의
높이는 다음과 같습니다.
①4　②1　③4　④2

24쪽

🏁 TOP 사고력

01
[정답] ③

[풀이]
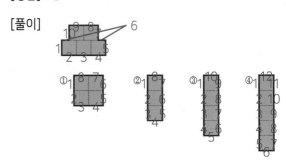

02
[정답] 다

[풀이]
빨간 구슬은 물의 높이가 1칸 올라가고, 초록 구슬은 물의 높
이가 3칸 올라갑니다.
가의 물의 양 → 5칸, 나의 물의 양 → 6칸, 다의 물의 양 → 4칸

25쪽

03
[정답]

[풀이] 길은 여러 가지가 있습니다.

04

[정답] ① < ③ < ④ < ②

[풀이]

첫째 양팔저울에서 3이 1보다 무겁습니다.

둘째 양팔저울에서 2가 4와 1보다 무겁습니다.

셋째 양팔저울에서 4가 3보다 무겁습니다.

2. 저울산과 넓이

27쪽

생각열기

저울산

● 1개는 ▲ 몇 개의 무게와 같습니까?   2개

28쪽

☙ 같은 방법으로 생각해서 오른쪽 양팔저울이 평형을 이루도록 빈 접시에 ● 를 그려 보시오.

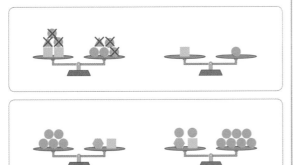

[풀이]

⑴ 양쪽 접시에 똑같은 것을 지우면 ■ 2개와 ● 2개가 남습니다. 따라서, ■와 ●은 무게가 같습니다.

⑵ ● 5개를 올리고 ● 2개를 더 올려야 합니다.

29쪽

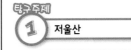

탐구 주제

1 저울산

탐구 유형 1-1   **바꾸어 생각하기**

[정답] ⑴ 6개   ⑵ 3개

[풀이]

세 번째 양팔저울에서 을 ⬭ 으로 바꾸면 ⬭ 6개 와 2자루의 무게가 같습니다. 따라서, 절반씩 내리 면 은 ⬭ 3개와 무게가 같습니다.

연습 01

[정답] 6마리

30쪽

연습 02

[정답] 5개

[풀이]

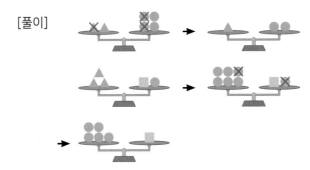

연습 03

[정답]

 은 / 3 개와 무게가 같고, / 는 / 6 개와 무게가 같습니다.

[풀이]

두 번째 양팔저울에서 🥄 과 🍴 는 무게가 같습니다. 따 라서, 🥄 1개는 / 3개와 무게가 같습니다.

세 번째 양팔저울은 다음과 같습니다.

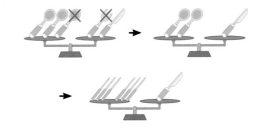

31쪽

탐구 유형 1-2   묶어서 생각하기

[정답] (1)

(2)

연습 01

[정답] 6개

[풀이]

32쪽

연습 02

[정답] 2

[풀이]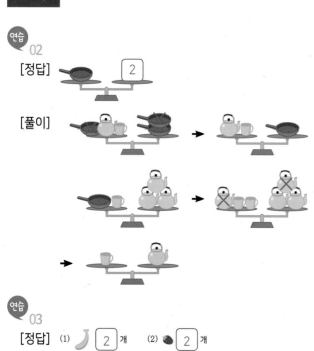

연습 03

[정답] (1) 🍌 2 개   (2) 🍓 2 개

[풀이]

(1)

(2)

33쪽

탐구주제
2 단위넓이

🔎 가장 넓은 색깔은 무엇입니까?

[정답] 빨간색

[풀이]

1	2	3	1	2
4	1	3	4	5
2	3	4	5	6

34쪽

🔎 작은 네모 한 칸의 넓이를 1이라고 할 때 색칠된 모양의 넓이를 구하시오.

4

[풀이]

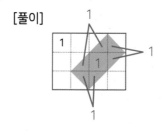

35쪽

탐구 유형 2-1   모눈 위의 넓이

[정답]

1

	2	3			2	3	
	4	5	6		4	5	7

6   6   7   5

	2	3	4		
	5	6	9	4	5
	7	8		1	2

9   3   5

연습 01

[정답]   ③

[풀이]   다른 모양은 모두 전체의 절반입니다.

36쪽

연습 02

[정답]

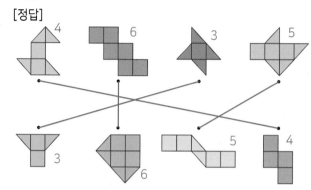

연습 03

[정답]

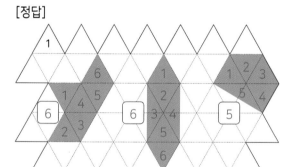

37쪽

탐구 유형 2-2   **칠교 조각의 넓이**

[정답]

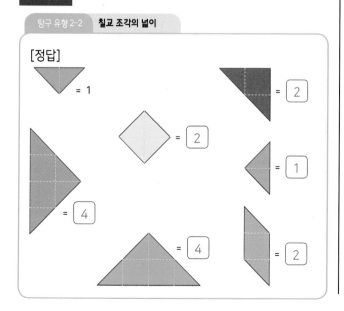

38쪽

연습 01

[정답]

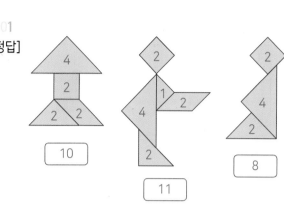

39쪽

탐구 유형 2-3   **세모 모양의 넓이**

[정답]

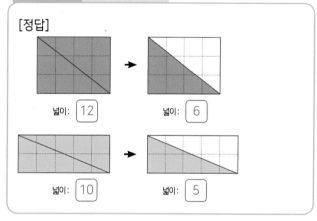

연습 01

[정답]   3

[풀이]

넓이 : 6   넓이 : 3

40쪽

연습 02

[정답]   3, 1, 1, 5

[풀이]

① : 네모 6의 절반

② : 네모 2의 절반

④ : 3+1+1=5

[정답] 2, 4

[풀이]

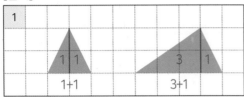

41쪽

[정답]

[풀이]

다른 두 모양은 넓이가 4이고, 초록색 모양은 네모의 절반만큼 넓이가 더 넓습니다.

[정답] 다 - 라 - 가 - 나

[풀이]

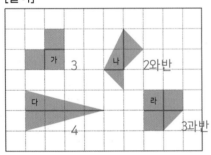

42쪽

 TOP 사고력

01

[정답] 6자루

[풀이]

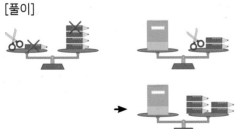

02

[정답]

[풀이]

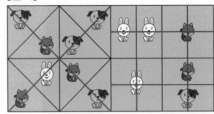

위와 같이 나누어 작은 네모의 넓이를 1이라고 할 때, 왼쪽 세모와 오른쪽 네모의 넓이는 똑같이 1입니다.

 - 10, - 10,  - 12

43쪽

03

[정답] ㉢ - ㉡ - ㉠

[풀이]

주어진 세모의 넓이가 네모의 넓이보다 작습니다.

㉠	㉡	㉢
세모 3개	세모 2개	세모 1개
네모 1개	네모 2개	네모 3개

㉠, ㉡, ㉢ 모두 모양은 4개씩 있으므로 네모가 더 많은 모양의 넓이가 더 넓습니다.

04

[정답] 2개

[풀이]

 마지막 양팔저울을 보고, 두 번째 양팔저울에서 ◆●●와 ▲ 6개를 지우면 ★●는 ▲ 3개와 무게가 같습니다.

 첫 번째 양팔저울에서 ★●와 ▲ 3개를 지우면 ◆는 ▲ 4개와 무게가 같습니다.

가운데 양팔저울에서 ★●와 ▲ 3개를 지우면 ◆와 ▲ 4개를 지우면 ●는 ▲와 무게가 같고, ★●는 ▲ 3개와 무게가 같으므로 ★은 ▲ 2개와 무게가 같습니다.

3. 연산 퍼즐

수 피라미드

1층에 1, 2, 3 중에서 하나씩 골라 넣어 3층에 깜이와 냥이보다 더 큰 수가 나오도록 수 피라미드를 완성하시오.

🏆 1층에 3, 4, 5를 하나씩 넣어 3층의 수를 가장 작게 만들려고 합니다. 가장 작은 수를 구하시오.

🏆 1층에 1, 2, 3, 4를 하나씩 넣어 4층에 가장 큰 수와 가장 작은 수가 나오도록 수 피라미드를 완성하시오.

<가장 작은 수>

<가장 큰 수>

[풀이]

제일 아래 가운데 두 칸에 들어가는 수가 오른쪽 왼쪽으로 두 번씩 더해집니다. 따라서, 가장 작은 수는 가운데에 1과 2를, 가장 큰 수는 3과 4를 넣으면 됩니다.

탐구주제
1 동전 퍼즐

❀ 동전 금액의 합이 같아지도록 동전 한 개를 옮겨야 합니다. 이때, 옮겨야 하는 동전에 ○표 하시오.

(1)

(2)

[풀이]

(1) 큰 쪽과 작은 쪽의 금액 차이의 절반을 옮기면 옮긴 만큼 큰 쪽은 작아지고, 작은 쪽은 커져서 금액이 같아집니다.

(2) 금액이 가장 많은 쪽에서 가장 적은 쪽으로 옮겨야 합니다. 금액은 옮기지 않는 쪽과 같게 만듭니다.

탐구 유형 1-1 **동전 매트릭스**

[정답]

(1) 200원   (2)

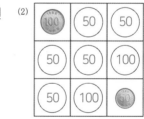

연습 01

[정답]

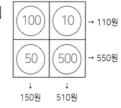

02

[정답]

[풀이]

금액이 큰 2곳에서 금액이 적은 2곳으로 동전을 옮겨야 합니다.

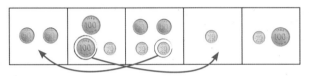

03

[정답]

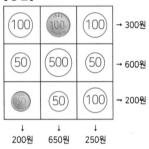

탐구 유형 1-2 **동전 옮기기 퍼즐**

[정답]

⑴ 160, 260 ⑵ 50원

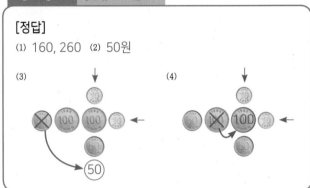

[풀이]

위와 같이 두 가지 답이 있습니다. 한 가지는 금액의 차인 100원의 절반을 세로줄의 끝에 옮기는 방법이고, 다른 한 가지는 금액의 차인 100원을 가로줄과 세로줄이 겹치는 동전 위에 겹쳐서 가로줄에서 금액이 줄어들지 않도록 하는 방법입니다.

만약, ⑶과 ⑷를 바꾸어 답을 찾는 경우 ⑵의 답은 100원이 되어야 합니다.

01

[정답]

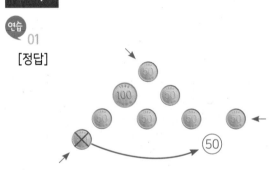

[풀이]

금액이 가장 많은 줄에서 가장 적은 줄로 옮깁니다.

02

[정답]

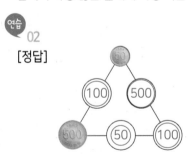

탐구주제
② 수 퍼즐

36을 같은 수 2개로 가르는 두 가지 방법을 알아보려고 합니다. 빈칸에 알맞은 수를 써넣으시오.

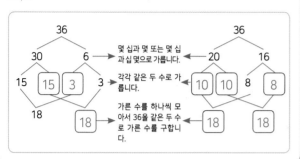

🖐 다음 수를 같은 두 수로 가른 수를 구하시오.

(1) 48 24

(2) 62 31

(3) 34 17

(4) 96 48

[풀이]

(1)
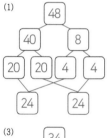

(2)
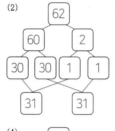

(3)
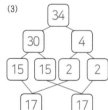

(4)
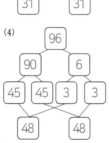

53쪽

🖐 1에서 6까지의 수를 둘씩 합이 같게 짝짓는 선을 그리시오.

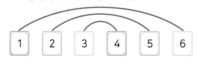

🖐 1에서 5까지의 수 중에서 1개를 제외한 나머지 수들의 합이 같게 둘씩 짝짓는 선을 서로 다른 방법으로 그리시오.

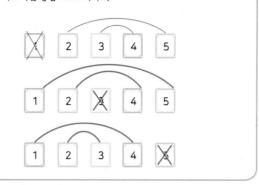

54쪽

탐구 유형 2-1　둘로 자르는 선

[정답]　(1) 42　(2) 21　(3)

3	6	7
8	1	6
4	2	5

01

[정답]

2	7	5	1
3	1	3	6

[풀이]

전체의 합이 28이고 합이 14씩 둘로 나누어야 합니다.

55쪽

02

[정답]

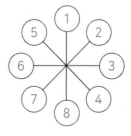

[풀이]

가장 큰 수와 가장 작은 수, 다음으로 큰 수와 다음으로 작은 수와 같이 반복하여 짝짓습니다.

03

[정답]

 04

[정답]

6	5	2	7
10	1	9	4
3	8		

56쪽

탐구 유형 2-2 **가로, 세로 수 넣기**

[정답]

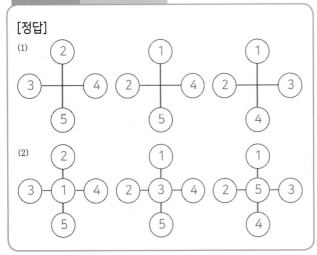

[풀이]

가운데 수를 제외하고 마주보는 수의 합이 서로 같다는 점을
아는 것이 중요합니다.

57쪽

 01

[정답]

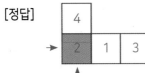 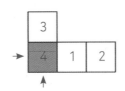

[풀이]

한 수와 다른 두 수의 합이 같은 경우를 먼저 찾습니다.

 02

[정답]   4

[풀이]

두 쌍의 수의 합이 서로 같은 경우를 먼저
찾으면 1+7=2+6입니다.

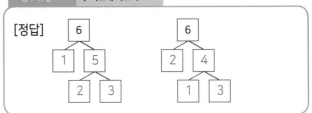

58쪽

탐구 유형 2-3 **수 다르게 가르기**

[정답]

 01

[정답]   (1)   (2)

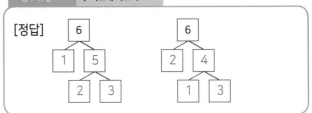

59쪽

 02

[정답]

 03

[정답]   3가지

[풀이]

서로 다른 세 수를 더해서 9가 되는 경우를 찾습니다.

1+2+6=9

1+3+5=9

2+3+4=9

TOP 사고력

01
[정답] 500원

[풀이]

빨간색과 파란색의 동전을 다르게 하려면 파란색 5개의 금액이 50원이 되어야 합니다. 남은 100원과 500원으로 금액이 같게 하려면 초록색에는 500원, 빨간색에는 100원이 들어가야 합니다.

02
[정답]

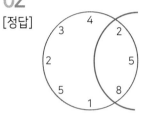

[풀이]
전체 수의 합이 30이기 때문에 한 부분이 15가 되도록 나누어야 합니다.

03
[정답]

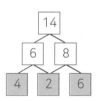

[풀이]
가운데 들어가는 수를 2, 4, 6으로 바꾸어 보면서 답을 찾아야 합니다.

04
[정답] 110원

[풀이]

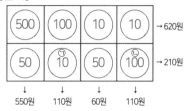

또는

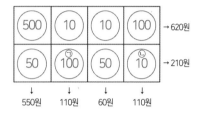

550원에서 500원과 50원, 60원에서 50원과 10원의 자리를 먼저 찾을 수 있습니다.

4. 수와 식 만들기

생각열기
수 넣어 식 만들기

주어진 카드 4개 중에서 3개의 카드를 골라 □에 알맞은 수를 써넣으시오.

| 8 | 11 | 1 | 6 |

$\boxed{11}+\boxed{1}+\boxed{6}=18$

[풀이]
8+11+1+6=26
26-18=8이므로 8을 제외한 수를 채우면 됩니다.

주어진 카드 5장 중에서 3장을 골라 모두 더해서 주어진 수가 되도록 하려고 합니다. 더한 카드 3장은 어떻게 찾을 수 있습니까?

| 3 | 7 | 6 | 8 | 9 |

$\boxed{7}+\boxed{6}+\boxed{8}=21$

[풀이]
3+7+6+8+9=33인데 합을 21로 만들어야 하므로 합이 12가 되는 두 수를 찾아서 제외 합니다.

🏆 주어진 5개의 수를 하나씩 넣어서 식을 만들려고 합니다. □에 알맞은 수를 모두 써넣으시오.

5 6 7 8 9

(1) $\boxed{5}$ + $\boxed{7}$ + $\boxed{8}$ + $\boxed{9}$ = 29

(2) $\boxed{6}$ + $\boxed{8}$ + $\boxed{9}$ = 23

[풀이]

5+6+7+8+9=35이므로 (1)은 6을 제외한 수를 채우고, (2)는 합이 12인 두 수를 제외한 수를 채웁니다.

1 **목표 수 만들기**

💡 ○에 각각 알맞은 덧셈과 뺄셈 기호를 넣어 식을 완성하시오.

(1) 7 $\bigcirc\!\!-$ 2 $\bigcirc\!\!+$ 5 = 10   (2) 11 $\bigcirc\!\!-$ 3 $\bigcirc\!\!+$ 1 = 9

[풀이]

모두 +를 넣는다고 가정하고, 차이의 절반이 되는 수를 -로 바꾸어 구할 수 있습니다. 더했던 수가 없어지면서 빼기가 되기 때문에 기호를 바꾼 수의 2배만큼 계산값이 작아집니다.

💡 ○에 각각 알맞은 덧셈과 뺄셈 기호를 넣어 식을 완성하시오.

(1) 3 $\bigcirc\!\!+$ 8 $\bigcirc\!\!-$ 2 $\bigcirc\!\!-$ 2 = 7

(2) 15 $\bigcirc\!\!+$ 3 $\bigcirc\!\!-$ 2 $\bigcirc\!\!-$ 5 = 11

(3) 10 $\bigcirc\!\!+$ 2 $\bigcirc\!\!-$ 6 $\bigcirc\!\!+$ 3 = 9

[풀이]

(1) 3+8+2+2=15

   15-7=8이므로 4만큼 더하기를 빼기로 바꿉니다.

(2) 15+3+2+5=25

   25-11=14이므로 7만큼 더하기를 빼기로 바꿉니다.

(3) 10+2+6+3=21

   21-9=12이므로 6만큼 더하기를 빼기로 바꿉니다.

탐구 유형 1-1   **기호 넣어 식 만들기**

[정답] 토끼

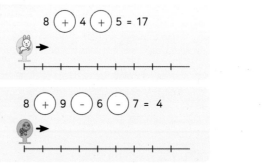

8 $\bigcirc\!\!+$ 4 $\bigcirc\!\!+$ 5 = 17

8 $\bigcirc\!\!+$ 9 $\bigcirc\!\!-$ 6 $\bigcirc\!\!-$ 7 = 4

[풀이]

8+9+6+7=30

30-4=26이므로 빼는 수들의 합이 13이 되어야 합니다.

[정답]

(1) 12 ⊖ 8 ⊕ 9 = 13   (2) 8 ⊖ 3 ⊕ 7 = 12

(3) 16 ⊖ 7 ⊕ 3 ⊖ 6 = 6

(4) 6 ⊖ 3 ⊕ 5 ⊕ 7 = 15

[풀이]

(1) 12+8+9=29

29-13=16이므로 빼는 수가 8

(2) 8+3+7=18

18-12=6이므로 빼는 수가 3

(3) 16+7+3+6=32

32-6=26이므로 빼는 수들의 합이 13

(4) 6+3+5+7=21

21-15=6이므로 빼는 수가 3

68쪽

탐구 유형 1-2	수 넣어 식 만들기1

[정답] 5

4 + 7 + 8 = 19

3 + 7 + 8 = 18

3 + 4 + 7 = 14

[풀이]

3+4+5+7+8=27

27-19=8이므로 3과 5 카드를 제외한 합이 19,

27-18=9이므로 4와 5 카드를 제외한 합이 18,

27-14=13이므로 5와 8 카드를 제외한 합이 14입니다.

[정답]

2 12 ✕

7 5

[풀이]

2 + 7 + 5 = 14

2 + 12 + 5 = 19

2+12+4+7+5=30

30-14=16이므로 12와 4를 제외한 합이 14

30-19=11이므로 4와 7을 제외한 합이 19

69쪽

[정답] 2개

[풀이]

5+1+6+4+2=18

18-12=6이므로 합이 6인 두 수를 제외하고 더하면 12가 됩니다. 두 수의 합이 6인 경우는 5와 1, 4와 2입니다.

[정답] 3

[풀이]

6+9+8+3+4=30

30-13=17이므로 더하지 않는 두 수의 합이 17

30-15=15이므로 더하지 않는 두 수의 합이 15

30-26=4이므로 더하지 않는 수가 4

따라서 덧셈식은 다음과 같습니다.

6 + 3 + 4 = 13

8 + 3 + 4 = 15

6 + 9 + 8 + 3 = 26

[정답]

(1) $\boxed{10} + \boxed{10} + \boxed{10} = 30$

(2) $\boxed{5} + \boxed{5} + \boxed{20} = 30$

(3) $\boxed{5} + \boxed{10} + \boxed{15} = 30$

(4) 3가지

71쪽

 01

[정답]   3가지

[풀이]

수가 모두 같은 경우

2+2+2=6

수 2개가 같은 경우

1+1+4=6

수 3개가 모두 다른 경우

1+2+3=6

 02

[정답] $\boxed{} + \boxed{} + \boxed{} = 12$

[풀이]

$\boxed{} + \boxed{} + \boxed{} = 8$

두 수가 같은 경우

3+3+2=8, 4+2+2=8

$\boxed{} + \boxed{} + \boxed{} = 12$

세 수가 모두 같은 경우

4+4+4=12

두 수가 같은 경우

5+5+2=12

세 수가 모두 다른 경우

3+5+4=12

73쪽

② 눈금 없는 측정

추 2개로 잴 수 있는 무게를 모두 쓰시오.   1, 3, 4, 7

[풀이] 4-3=1, 3=3, 4=4, 3+4=7

추 3개로 무게를 재었습니다. 물건의 무게를 구하시오.

딸기 : $\boxed{3}$ 당근 : $\boxed{2}$

74쪽

[정답]

길이	나무 막대 그림
2	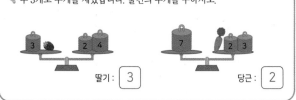
6	
7	
12	

75쪽

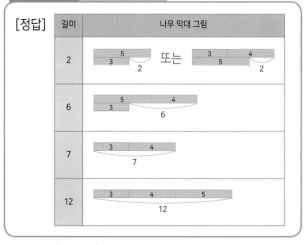 01

[정답]

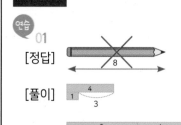

[풀이]

 02

[정답]

[풀이] 8+3-4=7

76쪽

탐구 유형 2-2   잴 수 있는 무게

[정답]

무게	양팔저울 그림
2	
5	
6	
10	

77쪽

 01

[정답] 4, 8, 12

 02

[정답] 1 2 ~~3~~ ~~4~~ 5 6 7 8 9

[풀이]

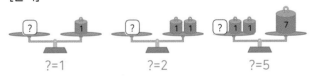

?=1   ?=2   ?=5

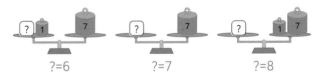

?=6   ?=7   ?=8

?=9

 03

[정답] 5+8-4=9

[풀이]

78쪽

 TOP 사고력

01

[정답] 2

[풀이]

만든 두 식 모두 합이 12이므로 뒤집어진 카드를 제외한 두 수 카드의 합이 같습니다. 합이 같도록 2씩 짝지으면 3+7=4+6 입니다.

02

[정답] 9

[풀이] 3+5=8, 4+6=10

79쪽

03

[정답]

[풀이]

초록색 주머니 → 3+5-7=1, 5-3=2, 3=3, 7-3=4, 5=5, 7=7, 3+5=8, 5+7-3=9, 3+7=10

보라색 주머니 → 6-5=1, 2=2, 5-2=3, 6-2=4, 5=5, 6=6, 2+5=7, 2+6=8, 5+6-2=9

파란색 주머니 → 2=2, 4=4, 2+4=6, 8=8, 4+8-2=10 또는 8+2=10

04

[정답] 6

[풀이]

2와 5로 잴 수 있는 무게를 먼저 지우면 다음과 같습니다.

1 ~~2~~ ~~3~~ 4 ~~5~~ 6 ~~7~~ 8 9

?에 알맞은 추의 무게를 1, 2, 3, 4와 같이 1씩 늘려서 찾아보면 6일 때

6-5=1, 6-2=4, 6=6, 2+6=8

5+6-2=9로 1에서 9까지의 무게를 모두 잴 수 있습니다.

정답 및 풀이 **23**

1. 비교하기

01
[정답]

[풀이]

밧줄을 똑같이 5회 감았으므로 기둥의 굵기가 굵을수록 밧줄이 깁니다.

02
[정답] ④-②-③-①

[풀이]

밖으로 나와 있는 못의 길이가 짧을 수록 박힌 못의 길이는 깁니다.

03
[정답] ②-④-①-③

04
[정답]

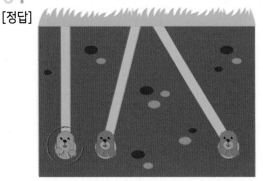

05
[정답]

[풀이]

주스가 가장 많이 남은 사람이 가장 적게 먹은 사람입니다. 주스가 많이 남은 순서는 다음과 같습니다.

 - -

06
[정답] ②-③-①

[풀이]

처음에 있던 물이 적을수록 그릇에 감자를 더 많이 넣었습니다.

07
[정답] ①-②-④-③

08
[정답] 문구점

[풀이]

길이 가장 먼 곳을 찾아야 합니다. 세 곳 모두 3개의 작은 선으로 잘랐을 때, 문구점-학교-공원 순서로 거리가 멉니다.

09
[정답]

[풀이]

강아지는 옆에 있는 뜀틀보다 높은 뜀틀 1개, 낮은 뜀틀 1개만큼 키가 작습니다. 강아지 옆의 뜀틀보다 똑같이 키가 작은 동물은 돼지입니다.

10

[정답]

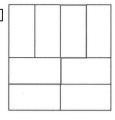 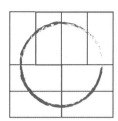

[풀이]

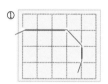 

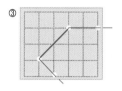 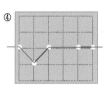

86쪽

11

[정답] ③

[풀이]

① ② ③ ④

[풀이]
① ☐4개 ◸1개   ② ☐5개 ◸0개

③ ☐2개 ◸3개   ④ ☐3개 ◸2개

12

[정답] ㉮ < ㉯ < ㉰

[풀이]

같은 물건을 올려서 평형을 이루었을 때는 개수가 많은 물건의 무게가 가볍습니다.

87쪽

13

[정답] ③

[풀이] 가벼운 순서는 사슴-돼지-곰-악어입니다.

14

[정답] 무당벌레 > 벌 > 나비 > 개미

88쪽

15

[정답] 7개

[풀이]

공 1개를 넣는데 눈금 1개가 올라가고, 공 2개를 넣은 그릇에 눈금 6개가 남았습니다. 공 6개를 넣으면 물이 가득 차고 7개를 넣으면 물이 넘칩니다.

16

[정답]

[풀이]

빨간색 공을 넣으면 눈금이 1칸 올라가고, 보라색 공을 넣으면 눈금이 2칸 올라갑니다.

주어진 그릇에서 보라색 공 1개, 빨간색 공 2개를 뺐으므로 9칸이 있던 물에서 눈금이 4칸이 내려가 5칸이 됩니다.

89쪽

2. 저울산과 넓이

01

[정답] 6, 12

02

[정답]

[풀이]

왼쪽은 블록 5개, 오른쪽은 블록 3개로 바꿀 수 있습니다. 따라서 평형을 유지하기 위해서는 오른쪽에 블록 2개를 더 놓아야 합니다.

03

[정답] 4개

[풀이]

가는 나 3개와 무게가 같으므로 다는 나 4개와 무게가 같습니다.

04

[정답] 9개

[풀이]

참외 1개 = 딸기 6개 = 사과 2개

딸기 3개 = 사과 1개

수박 1개 = 사과 3개 = 딸기 9개

05

[정답] 원숭이

[풀이]

여우와 원숭이는 강아지보다 가벼운데, 두 저울을 보고 여우와 추 2개와 원숭이와 추 3개의 무게가 같다는 것을 알 수 있습니다.

06

[정답] 4개

[풀이]

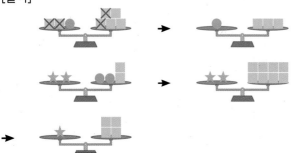

07

[정답]

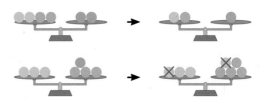

[풀이]

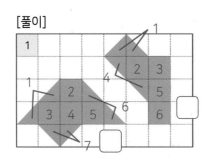

08

[정답] 4, 2, 1

[풀이]

첫 번째 저울과 두 번째 저울을 비교해 보면 배구공 1개가 야구공 1개와 무게가 같습니다.

세 번째 저울에서 배구공 3개를 야구공 3개로 바꾸면 축구공은 야구공 2개와 무게가 같습니다.

두 번째 저울에서 축구공과 배구공을 야구공 3개로 바꾸면 농구공은 야구공 4개와 무게가 같습니다.

09

[정답] 7, 6

[풀이]

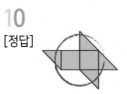

10

[정답]

[풀이]

나머지는 작은 세모 7개와 넓이가 같고, 위 모양은 8개와 넓이가 같습니다.

11
[정답] 색

[풀이]

12
[정답]
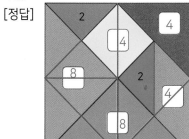

13
[정답]
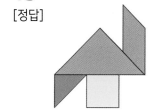 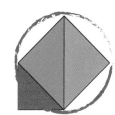

[풀이]
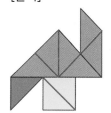 

14
[정답] 2칸

[풀이]

네모 3칸 넓이   네모 2칸 넓이   네모 4칸 넓이

15
[정답] 6, 9

[풀이]
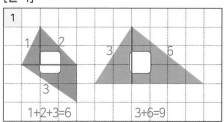

16
[정답] ㉡

[풀이]
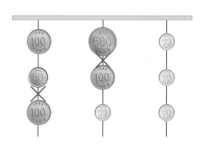

2+6=8   9   2+2+2+2=8

3. 연산 퍼즐

01
[정답]

[풀이]
금액의 합이 890원입니다.
890-680=210원입니다.
따라서 210원을 잘라내어야 합니다.

02

[정답]

[풀이]

왼쪽 주머니의 금액은 620원, 오른쪽 주머니의 금액은 700원입니다. 차이의 반인 40원을 왼쪽으로 옮겨야 하는데 오른쪽에 40원이 없습니다. 오른쪽에서 50원을 왼쪽에서 10원을 서로 옮기면 됩니다.

98쪽

03

[정답]

🪙	500	100
500	100	50
100	50	🪙

04

[정답]

→ 50원

→ 70원

30원   40원   50원

[풀이]

가로, 세로로 금액의 합을 구해 보면, 50원에서 30원으로, 70원에서 50원으로 10원이 이동해야 합니다.

99쪽

05

[정답]

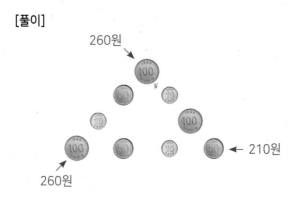

[풀이]

260원인 줄이 2개이고, 210원인 줄이 1개입니다. 260원인 두 줄의 금액이 변하지 않고, 210원인 줄이 260원이 되게 하는 방법으로 260원인 줄의 50원짜리 동전을 210원인 줄과 만나는 부분의 동전과 겹치는 방법이 있습니다.

06

[정답]

[풀이]

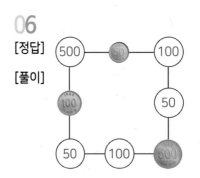

07

[정답]

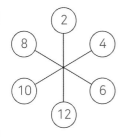

[풀이]

다음과 같이 선을 그려서 합이 같도록 수를 둘씩 짝지을 수 있습니다.

08

[정답]

	5	4	3
1	4	7	1
2	3		

[풀이]

수의 합이 30이므로 합이 15인 두 부분으로 나눕니다.

09

[정답]

1	2	3	2
5	7	1	2
3	5	6	7

[풀이]

합이 44이므로 합이 11인 네 부분으로 나눕니다.

10

[정답]

[풀이]

시계에 있는 수의 합이 78이므로 한 부분의 수의 합이 39가 되도록 나눕니다.

11

[정답]

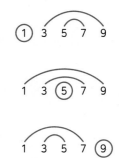

[풀이]

한 수를 색칠된 부분에 넣고, 두 수의 합이 같도록 나누는 방법은 다음과 같습니다.

12

[정답]

	4	
3	7	6
	5	

[풀이]

가로, 세로가 겹치는 곳에 큰 수를 넣을 때 합이 커집니다. 7을 넣고 남은 수를 합이 같게 둘씩 짝지을 수 있습니다.

13

[정답]

3	4	1
		7

1	3	7
		4

[풀이]

색칠된 곳에 들어갈 수를 제외한 수의 합이 같도록 만드는 것이 쉽습니다. 한 수와 다른 두 수의 합이 같은 경우를 찾으면 됩니다.

3+4=7, 1+3=4

14

[정답] 6

[풀이]

㉠과 ㉡으로 가르고, ㉠만 다시 ㉢, ㉣로 가른 것이므로 각각의 수를 찾지 않아도 ㉡, ㉢, ㉣은 6을 셋으로 가른 수입니다. 따라서, 합은 6입니다.

[다른풀이]

㉠을 제외한 색칠된 칸의 수가 모두 다르게 가르는 방법은 다음과 같습니다.

 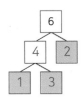 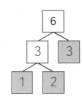

104쪽

15

[정답]

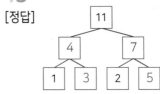

16

[정답] 3가지

[풀이]

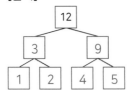 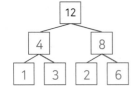

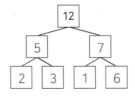

105쪽

4. 수와 식 만들기

01

[정답] 7 (+) 6 (−) 1 (−) 4 = 8

[풀이]

모두 더하면 7+6+1+4=18

18−8=10이므로 10의 절반인 5만큼을 빼기로 바꾸어야 합니다.

02

[정답] 4번

[풀이]

3 (+) 7 (+) 3 (−) 6 = 7

6 (+) 4 (−) 1 (+) 3 = 12

3+7+3+6=19

19−7=12, 12의 절반인 6을 빼기로 바꿉니다.

6+4+1+3=14

14−12=2, 2의 절반인 1을 빼기로 바꿉니다.

106쪽

03

[정답] 6

[풀이]

6+3+8+9+5=31

합이 22가 되게 하려면 9를 제외하고 더하고,

합이 23이 되게 하려면 8을 제외하고 더합니다.

따라서, 공통으로 사용하는 수는 6, 3, 5입니다.

04

[정답] 17

[풀이]

가장 큰 수 순서대로 7, 5, 4를 모두 더하면 16이므로 16보다 큰 17은 나올 수 없습니다.

4+7+1=12, 7+4+2=13, 4+3+7=14, 3+5+7=15

107쪽

05

[정답] 3 + 5 + 6 = 14

[풀이]

2+3+4+5+6=20

20-14=6이므로 합이 6인 두 수를 제외한 수를 더합니다.

06

[정답] 3개

[풀이]

같은 수 3개

3+3+3=9

같은 수 2개

2+2+5=9

모두 다른 수

5+3+1=9

108쪽

07

[정답] 7

[풀이]

같은 수 2개

3+3+4=10, 2+4+4=10

같은 수가 3개이거나 모두 다른 수로는 식을 만족시킬 수가 없습니다.

08

[정답] 3가지

[풀이]

같은 수 3개

6+6+6=18

같은 수 2개

2+8+8=18

모두 다른 수

4+6+8=18

109쪽

09

[정답] ④

[풀이]

3-2=1, 2=2, 3=3, 2+3=5

10

[정답] 9

[풀이]

110쪽

11

[정답]

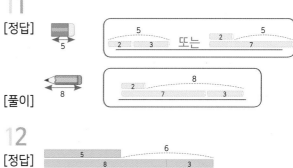

[풀이]

12

[정답]

13

[정답] 4개

[풀이]

1개를 올릴 경우 → 3, 7

한쪽에 2개를 올릴 경우 → 3+7=10

양쪽에 1개씩 올릴 경우 → 7-3=4

14

[정답] (1) 5   (2) 6

[풀이]

(1) 4+3=7, 7-2=5

(2) 1+2=3, 9-3=6

15

[정답]

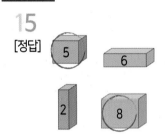

[풀이]

한쪽 접시에만 추를 올리면 무게의 차를 이용할 수는 없습니다.

4+1=5, 4+3+1=8

16

[정답] 2

[풀이]

7+6-3=10

네모, 세모 타일로 넓이 재기

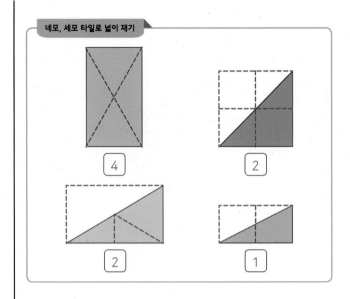

모양의 넓이

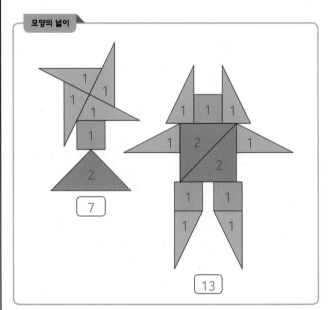

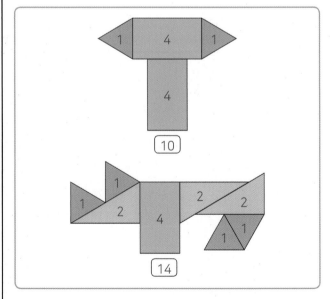

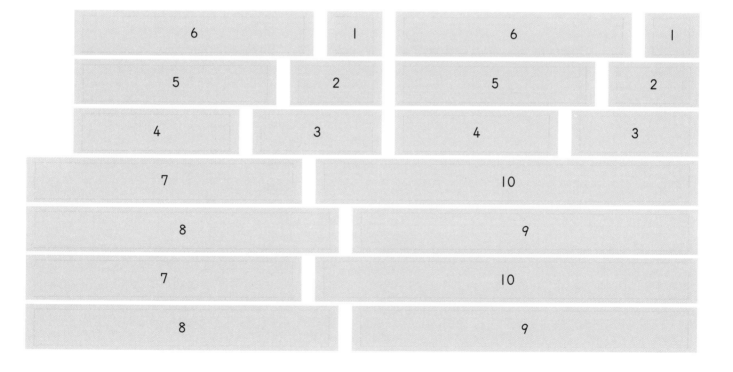

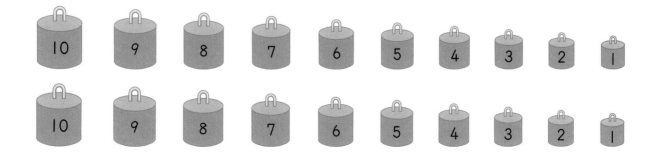

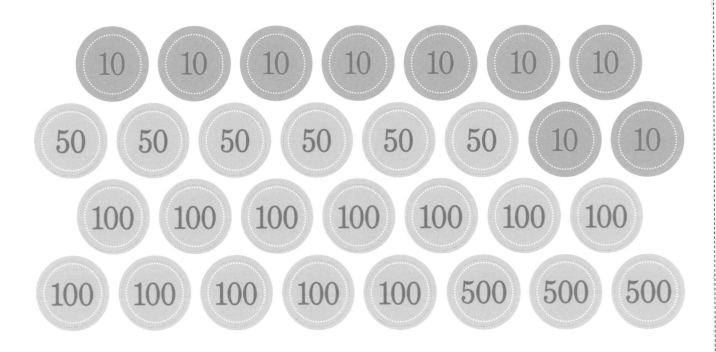

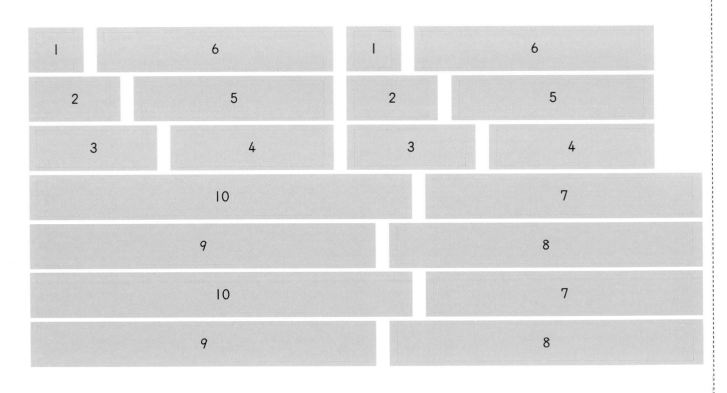

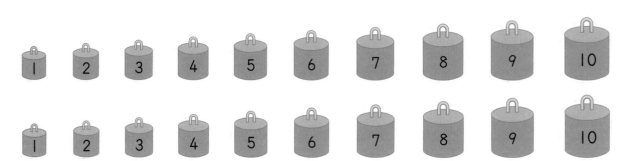

자르는 선

천종현수학연구소는

천종현 연구소장 아래 사고력 수학 교재를 써온 집필진으로 이루어져 있습니다. 사고력 수학을 가르치는 것으로부터 시작하여 사고력, 창의력 교재를 개발하면서 원리로부터 시작하는 단계적 학습을 중요하게 생각하는 실전에 강한 사고력 전문가 집단입니다. 원리를 이해하는 공부가 아니라 방법을 암기하는 수학 공부법에 대한 문제 인식을 가지고 아이들이 쉽고 재미있게 공부하면서도 생각하는 힘이 자라는 수학 컨텐츠를 연구하고 있습니다.

실력을 쌓는 수학 공부는 연산도 연습과 함께 원리가 중요합니다.
원리셈은 생활 속 소재와 교구 그림을 통해 쉽게 원리를 익히고, 다양한 문제로 재미있게 반복 연습할 수 있는 연산 교재입니다.

5·6세 단계

수와 수학을 처음 배우는 단계
수 읽기, 세기, 쓰기를 붙임 딱지를 활용하여 재미있게 공부하도록 구성
매 단원의 마지막은 쉽고 재미있는 내용의 사고력 수학

6·7세 단계

수를 세어 덧셈, 뺄셈의 개념을 아는 단계
20까지의 수를 차례로 세어 덧셈, 뺄셈을 이해하고 생활 속 소재와 흥미 있는 연산 퍼즐을 통해 재미있게 공부

7·8세 단계

한 자리 덧셈, 뺄셈을 확실히 잡아가는 단계
받아올림, 받아내림 없는 덧셈, 뺄셈 다지기와 10의 보수 학습을 통한 받아올림, 받아내림의 개념 잡기

초등1 단계

초등 1학년 단계
받아올림, 받아내림 없는 두 자리 덧셈, 뺄셈과 받아올림, 받아내림이 있는 한 자리 덧셈, 뺄셈의 집중 연습
마지막 단원은 앱을 이용하여 시간을 재고 다른 친구들의 기록과 비교하는 집중 연산

초등2 단계

초등 2학년 단계
두 자리 덧셈, 뺄셈과 곱셈구구 그리고, 나눗셈의 개념 알기
마지막 단원은 앱을 이용하여 시간을 재고 다른 친구들의 기록과 비교하는 집중 연산

초등3 단계

초등 3학년 단계
세 자리 덧셈과 뺄셈과 두/세 자리 곱셈, 나눗셈
총 6개 단원으로 그 중 2개 단원은 앱을 이용하여 시간을 재고 다른 친구들의 기록과 비교하는 집중 연산

초등4 단계

초등 4학년 단계
큰 수의 곱셈과 나눗셈, 분수와 소수의 덧셈과 뺄셈, 자연수 혼합 계산
총 6개 단원으로 그 중 2개 단원은 앱을 이용하여 시간을 재고 다른 친구들의 기록과 비교하는 집중 연산

초등5·6 단계

초등 5, 6학년 단계
분모가 다른 분수의 덧셈, 뺄셈, 분수와 소수의 곱셈과 나눗셈
6학년 연산 비중이 낮은 것을 고려한 통합 연산 단계
총 6개 단원으로 그 중 2개 단원은 앱을 이용하여 시간을 재고 다른 친구들의 기록과 비교하는 집중 연산

예비 중등 단계

초등 6학년, 중등 1학년 단계
유리수의 혼합 계산과 방정식의 계산 2권으로 중등 수학을 처음 접하는 학생들을 위한 원리 중심의 연산 교재
총 6개 단원으로 그 중 2개 단원은 앱을 이용하여 시간을 재고 다른 친구들의 기록과 비교하는 집중 연산